KB103330

바로 지금 여기

바로 지금 여기

발 행 | 2023년 12월 29일
저 자 | 강영미, 김미경, 박춘걸, 배달희, 안가숙, 정영이, 황규석
펴낸이 | 한건희
펴낸곳 | 주식회사 부크크
출판사등록 | 2014.07.15(제2014-16호)
주 소 | 서울특별시 금천구 가산디지털1로 119 SK트윈타워 A동 305호
전 화 | 1670-8316
이메일 | info@bookk.co.kr

ISBN | 979-11-410-6293-4

www.bookk.co.kr

바로 지금 여기

강영미, 김미경, 박춘걸, 배달희, 안가숙, 정영이, 황규석

차 례

강영미

김미경

박춘걸

배달희

안가숙

정영이

황규석

책을 엮으며

한소민 (내 삶의 스토리텔링 강사)

'내 삶의 스토리텔링' 세 번째 이야기가 엮어졌습니다.

자신의 내면을 마주하며 진실하게 써 내려 간 문장들입니다.

지난 날들에 대한 추억과

내일의 기대가 담겨있는 이 소박한 글들이

누군가의 마음에 잔잔한 파문이 되어

또다른 글들을 불러오게 되기를 소망해봅니다.

부디 여기 담긴 일곱 분들의 이야기가

여러분들에게 귀하게 읽혔으면 하는 바람입니다.

강영미

꿈 많은 문학소녀도 아니었건만 우연치 않게 글쓰기를 통해서 동료 문우님들과 수필집을 내게 되었습니다. 즐거워하는 자들과 함께 즐거워하고 우는 자들과 함께 우는 목회자이길 소망하며 목회 활동을 하고 있습니다. 아픈 마음에 위로가 되는 글을 쓰고 싶다는 생각이 드는 요즘입니다.

꽁다리 김밥과 소풍

밤

바둑이와 운동화

'알았다고'와 '그렇다고'

꽁다리 김밥과 소풍

요즘은 김밥을 자주 싼다. "엄마 오늘 저녁은 뭐예요?" 퇴근하고 들어오는 아들의 물음에 "응 김밥이야" 라고 할 정도로 특별한 날이 아니어도 일상에서 자주 먹는 음식이다. 아들은 김밥을 썰다 남은 꽁다리만을 담은 접시에서 큼지막한 걸 한입 가득 넣고는 볼록 나온 양 볼을 오물거리곤 한다. 그런 아들을 보며 나는 또 어릴 적 먹었던 꽁다리 김밥이며 내가 싸 주었던 김밥을 떠올리곤 한다.

아들이 처음 소풍 가는 날. 아침 일찍 다시마를 넣어 지은 밥에 들기름과 깨소금을 넣어 밥을 버무리면서 고소한 냄새로 아들을 깨운다. 사각 쟁반에 넓게 썬 계란지단, 반으로 갈라놓은 맛살, 얇게 채 썬 당근을 기름에 달달 볶아 한쪽에 담고, 아들이 좋아는 햄도 넉넉하게 준비하고, 치즈도 잘라 놓았다. 기름을 쏙 뺀 참치를 양념해서 반을 갈라놓은 깻잎 위에 얹는데 참치는 아들이 좋아하는 거다. 가끔은 아들이 잘 먹지 않는 콩을 넣어 밥을 짓는다. 여러 종류의 김밥 속 재료와 어우러져 콩을 골라내지 않고 먹기 때문이다.

김밥용 김 위에 밥은 얇게 펴주고 재료들을 넣고 손에 힘을 주어 돌돌 말아준다. 가장 먼저 싼 김밥 한 줄을 썰어 꽁다리 김밥을 아들의 입에 넣어 주며 "엄마는 중간에 있는 김밥보다 양쪽 끝에 있는 꽁다리 김밥이 더 맛있어"하면 아들은 입안 가득한 김밥 사이로 "왜?" 라며 묻는다. 나는 "밖으로 삐져나온 야채들을 더 먹을 수 있으니 좋지" 라고 대답하며 남은 한쪽 꽁다리 김밥을 한입에 넣는다. 입안에서 밥과 야채들이 파도를 치며 휘돌아 고소한 냄새가 처음 친정 엄마가 싸준 꽁다리 김밥을 먹었던 기억에까지 이른다.

내가 다녔던 태봉초등학교는 산을 넘어 한 시간을 걸어가야 했다. 소풍은 대부분 학교 주변에 있는 동네들이다. 그런데 소풍 장소가 우리 동네 거북이 마을일 때가 많다. 그런 날은 김밥도 싸지 않고 점심은 집에 가서 먹기 때문에 친구들과 함께 하지 못한다. 맛있는 과자와 음료수도 챙기지 못하고 빈손으로 학교에 갔다. 그리고 전교생들이 학년과 반별로 줄 서서 동네로 다시 와야 하니 소풍 갈 맛이 안 났다. 어차피 다시 동네로 오니 학교에 가지 말고 그냥 집에 있을 걸 하는 생각이 이제야 드는데 그때는 왜 그렇게 하지 못했는지 모르겠다.

초등학교 5학년 소풍날, 처음으로 김밥을 싸갔다. 그해 가을 소풍은 거북이 마을이 아니었기 때문이다. 아궁이에서 나뭇가지 타는 소리와 함께 구들장 위로 따뜻한 공기가 맴돌아 온몸을 감싸 안아 일어나기가 싫은 아침이다. 이불과 한 몸이 되어 뒹굴고 있을 때 들기름과 참깨로 버무려진 밥에서 나는 고소한 냄새가 아침잠을 깨운다. 들기름과 깨소금으로 버무려진 고슬고슬한 밥을 김 위에 얇게 펴 바르고 집에서 키운 닭이 낳은 계란으로 부친 샛노란 지단을 김밥 한가운데 자리를 잡아주고 단무지, 초록빛의 시금치와 꽃처럼 고운 빛깔의 분홍 소시지와 기름에 볶은 채 썬 당근이 조화롭게 포개져 돌돌 말을 때 김밥 안에도 단풍이 든다.

엄마는 참기름을 바른 반질반질하게 윤이 나는 김밥을 썰어 꽁다리 김밥을 아침잠이 덜 깬 나의 입에 밀어 넣어 준다. 초등학교 5학년 처음으로 엄마 싸준 김밥이다. 소풍 가는 아침의 설렘보다 야채들이 밖으로 쭉 삐져나온 꽁다리 김밥을 입에 넣을 때, 밥과 각각의 야채가 기막히게 조화를 이루는 그 맛을 느끼는 즐거움이 더 크다. 점심시간에 삼삼오오 모여 싸온 도시락 뚜껑을 열어 보이며 서로의 김밥을 자랑한다. 간혹 한 친구의 도시락 한편엔

파슬리와 바울 토마토로 장식되어 있다. 친구들의 김밥을 먹어보는 것도 좋다. 비슷한 재료들을 넣어 만든 김밥인데도 맛이 다 달랐다.

우리 동네는 인조의 다섯째 아들인 숭선군 묘가 있다. 기와지붕이 있는 담이 산소 주변을 둘러싸듯 있고, 산소 앞에는 화강암으로 깎아 만든 두 군신의 커다란 동상이 서로 마주하고 서 있으며 중앙에는 까맣고 네모반듯한 돌 제단과 향단이 있다. 무엇보다 숭선군 묘 주변과 그 아래에 넓고 평평한 푸른 잔디밭이 쭉 펼쳐져 있다. 800명이 넘는 전교생들과 동네 어른들이 모여 앉아도 잔디 광장같이 넓어서 여유가 있다. 잔디밭 양옆에는 소나무와 상수리나무가 울창하게 있어서 하루 종일 시원한 그늘이 있고 보물찾기 하기엔 최고의 장소다. 겨울에 흰 눈이 쌓이면 동네 아이들은 비료부대에 볏짚을 한 아름 넣어 약속이나 한 듯 숭선군 묘로 모인다. 이곳 숭선군 묘 앞에서부터 비탈진 내리막길이 천연 썰매장으로 변한다. 몇 시간을 겨울 옷이 다 젖도록 썰매를 탔었다.

거북이 마을로 소풍을 오는 것이 좋지 않은 이유가 또 있었다. 소풍의 꽃이라 할 수 있는 보물찾기 할 때 나는 한 번도 보물찾기 종이쪽지를 찾지 못했기 때문이다. 점심을 먹고 게임을 하는 시간에 선생님께서 보물 찾기용 쪽지를 나뭇가지와 돌 밑에 숨겨 놓으신다. 고학년 눈치 빠른 오빠들이 선생님들이 돌아다니는 곳마다 얼른 가서 나뭇가지 위와 돌을 떠들어서 미리 찾아갔다. 그리고 보물찾기 쪽지를 두세 개를 가지고 있다가 보물 찾는 시간에 찾아낸 것처럼 했으니 내가 발견할 수 없었던 것이다.

지금은 김밥에 들어가는 재료들의 종류도 다양해졌다. 소시지를 대신해 맛살과 햄이 자리를 차지했고, 연근과 참치뿐만 아니라 어묵과 치즈도 메인 재료다. 다양한 김밥 재료만큼이나 어딜 가도 쉽게 김밥을 먹을 수 있는 김밥천국 있다. 오늘 저녁은 김밥을 싸야겠다. 어릴 적 엄마가 싸준 김밥이 생각나서가 아니다. 2018년 같은 해 5월과 9월에 하늘에 소풍 중이신 엄마와 아빠께 내가 만든 꽁다리 김밥을 입에 넣어 드릴 수 있다면 좋겠다는 마음에서다.

밤

밤이 생겼다. '내 삶의 스토리텔링 수업 시간' 중에 밤 줍기에 대해 쓴 글을 발표한 김미경 선생님께서 수강 선생님들에게 금색 끈으로 곱게 묶은 묵직한 밤 봉지를 나눠주었다. 이미 하루를 마무리하고 집으로 돌아갈 시간에 나는 수업을 들으러 집을 나선다. 해가 많이 짧아져 충남대 평생 교육원 건물을 들어설 때면 이미 어둑어둑한 밤이다. 두 시간 수업이 끝난 후 묵직한 밤이 담긴 가방을 메고 버스에 올랐다. 묵직한 밤으로 배가 불룩 나온 가방을 무릎에 올려 안으며 차창으로 비친 달을 보았다. 달빛은 자신의 모습을 닮은 듯 해서인지 가방을 두 팔로 안은 내 팔에 포갠다.

추석 연휴에 지인을 통해 공주 밤 주문을 해 놓고 택배가 도착하길 기다리는 중에 밤이 생긴 것이 우연이 아닌 것 같은 생각이 들었다. 집에 오자마자 냄비에 채반을 얹고 물에 헹군 밤을 담아 가스 불을 켰다. 그러면서 남편에게 수업 시간에 '밤 줍기'라는 글을 발표한 선생님이 수강생 모두에게 밤을 나눠줬다고 했다. 남편도 며칠 전 주문한 밤이 오기를 기다리고 있었다며 반긴다. 나도 밤을 받으며 그 얘기를 했는데, 밤 한 봉지가 더 생겼다며 신나는 목소리로 대답했다.

오고 가는 대화를 듣고 있던 냄비 뚜껑이 달그락거리며 뜨거운 김을 밖으로 토해내어 밤이 익었음을 알린다. 추운 겨울을 이겨내고 봄볕에 싹을 틔우고 뜨거운 태양 아래 땀을 내어 튼실하게 속살을 찌운 밤을 맞이하라는 소리다. 김이 올라오는 밤을 접시에 담고 찻숟가락을 챙겨 남편과 상을 마주했다. 한 김 식지 않은 뜨거운 밤을 한 입으로 베어 반으로 갈랐다. 무심코 집어 입으로 갖다 대려고 하다가 너무 뜨거워 접시에 던지다시피 내려놓았다. 아직 식지 않은 걸 급하게 잡은 탓에 손가락까지 후끈거렸다. 뜨거워진 손가락을 잠시 식힌다. 그리고 다시 반쪽 밤을 손바닥으로 감싸 들고 찻숟가락 쥔 손으로 힘을 주어 밤 한가운데를 밀어 넣어 하얀 속살을 퍼 올려 한입에 넣었다. 파근파근하면서 달달함이 입안을 채운다. 둘은 서로 경쟁이라도 하듯 토실한 큰 밤을 골라가며 먹기 시작했다. 이건 밤송이 방안을 혼자 독차지하고 사방이 불룩하게 살이 오른 외동 알밤, 이건 서로 등 기대어 배만 불룩해진 형제 밤, 그리고 이건 둘 사이에 끼어 앞뒤가 밋밋한 삼 남매 밤! 제 각각의 모양을 보며 이름을 붙여

본다. 찻숟가락 위로 올라온 토실한 밤 맛에 기분이 좋다.

빈 접시에 켜켜이 쌓여가는 밤껍질을 보다 며칠 전 일이 생각났다. 가을 비 치곤 장마처럼 며칠 동안 비가 쏟아지던 날, 제대한지 얼마 안 된 옆집 청년이 우산을 빌리러 온 때다. 9층 긴 복도에 여섯 가구가 사는 곳으로 이사 온 지 1년 반이 되었지만 옆집과 왕래가 없었는데 비가 많이 오니 우산을 빌리러 문을 두드린 것이다. '문 앞에서 얼마나 망설였을까?' 하는 생각과 우산을 빌려 달라 용기 낸 것이 기특했다. '옆집 아들이 우산을 빌리러 올 수 있는 용기를 주셔서 감사합니다. 부족한 것으로 주눅 들거나 낙심하지 않고 세상에 당당하게 맞설 수 있는 새벽이슬 같은 청년이 되게 해 주세요' 군대에 있는 막내가 생각이나 속으로 기도했다.

옆집은 엄마와 남매가 살고 있는 것 같았다. 옆집 아들이 우산을 빌린 날, 저녁을 준비하다 큰아들이 퇴근하면서 가져온 장우산이 생각났다. 회사 직원과 함께 업무 차 들렸다가 기념품이라며 받아온 홍보용 장우산이 세 개나 있었던 것이다. 내 가슴까지 오는 장 우산 하나를 꺼내 옆집 아주머니에게 주었다. 늦은 밤, 알바 가느라 우산을 빌렸던 옆집 아들이 덕분에 잘 썼다며 우산을 돌려주러 왔다. 그때 우산을 주고받으며 왠지 모르게 흐뭇함을 느꼈다. 별것 아니지만 누군가에게 도움이 되거나 필요한 것을 나누어 주는 일이 얼마나 행복한 건지 느끼게도 되었다.

그러면서 "주어온 밤 중에 큰 것들만 골라 담았스예~" 라며 경상도 억양의 말투와 환하게 웃던 달빛 같은 얼굴의 김미경 선생님이 생각이 났다. 직장 근처에 있는 밤나무에서 토실한 밤을 줍는 모습이 상상이 되었다. 그때 밤을 담으시면서 함께 수업을 듣는 선생님들에게 밤을 나눠줄 행복한 생각을 하시면서 받는 분들의 기뻐하는 모습을 떠올렸겠구나 싶었다.

오늘 생각지도 않은 밤을 선물 받아 토실토실하고 파근파근하며 달큼한 밤들을 까먹는 기쁨을 누리듯 우산 선물 받은 그날, 옆집도 기쁨을 누렸기를 소망해 본다. 밤 껍질이 빈 접시에 수북이 쌓이는 동안 내 마음은 토실한 밤과 함께 나누는 기쁨으로 쌓여간다. 밤 껍질을 버리러 현관문을 열고 밖으로 나왔다. 우산 살 하나가 부러져 삐져나온 우산, 손잡이가 쪼개져 반쪽만 남은 우산과 손잡이를 감싼 비닐을 벗기지 않은 장우산이 보인다. 옆집 문 앞 우산꽂이에 있는 우산들을 달빛이 포근히 안고 있는 것이 눈에 들어왔다. 오늘 밤은 고마운 밤, 맛있는 밤이다.

바둑이와 운동화

아들에게 운동화를 선물 받았다. 평소에도 운동화를 즐겨 신는데 운동화 바닥이 닳아서 비가 오면 물이 샌다. 마음먹고 운동화 매장에 갔다. 몇 개의 신을 신어보았는데, 그중 하얀 운동화가 발을 편하게 감싸며 적당한 쿠션에 맘에 든 신발이 있었는데 생각한 것보다 가격이 비싸서 내려놓았다. 다른 것을 사려고 했더니 아들이 눈치채고 자기가 사주겠다고 한다. 고등학교 졸업하기 전에 취업해 직장을 다니고 있는 큰아들이 곧 다가올 엄마 생일을 맞아 선물로 사주겠다고 했다. 발 볼이 좁아 사이즈가 맞아도 발이 편한 운동화를 찾기가 쉽지 않았다.

아들이 사준 운동화를 들고 집에 오는 길에 문득 중학교에 입학할 때 부모님이 사준 하얀 운동화가 생각이 났다. 처음 운동화를 신었을 때가 초등학교 3학년 때이다. 운동화를 신기 전에는 색동 무늬가 있는 고무신을 신었었다. 발이 작은 나는 고등학교 때까지 200미리 아동화를 신었었다. 내가 살던 동네는 할머니 댁과 고모 집이 있어서 매일 할머니 댁에 놀러 갔었다. 할머니 댁에는 복슬복슬한 누런 털에 황구와 하얀 털의 귀여운 바둑이가 있었다. 그중 하얀 털의 바둑이에게는 안 좋은 습관이 있었다. 툭하면 신발을 물어다 집 안팎 여기저기에 숨겨 놓는 것이다. 헛간이며 뒤뜰 여기저기까지 다 헤매며 신발을 찾아다닌 적이 한두 번이 아니었다. 바둑이는 신발을 물어다 숨기기만 하는 것이 아니다. 물고 간 신발을 물어서 구멍을 내고, 잘근잘근 씹어서 찢어지기도 했다. 아무리 혼내고 야단쳐도 그 버릇은 고쳐지질 않았다.

바둑이 털만큼이나 하얀 눈이 수북이 쌓인 겨울 어느 날 할머니 댁에 놀러 갔다 집에 오려고 하니 마루 밑에 있어야 할 내 운동화가 보이질 않았다. 바둑이가 또 신발을 물고 간 것이다. 뒤꿈치가 없는 큰 슬리퍼를 신고 여기저기 찾으러 다녔는데 도저히 찾을 수가 없었다. 헛간에도 없었고, 뒤뜰에도 살펴보았지만 보이질 않았다. 한참을 찾아다니다 바둑이가 개 집 안에 쪼그리고 앉아 무얼 뜯고 있는 것이 보였다. 분명 운동화를 찾으러 다닐 때는 바둑이가 개 집 안에 없었다. 작대기로 바둑이를 쫓아내고 보니 한 쪽 신발을 잘근잘근 씹어 놔서 너덜너덜해졌고, 나머지 한쪽 신발은 끝내 찾질 못했다. 얼마나 화가 나고 어이가 없던지

바둑이를 흠씬 패 줬다. 큰일이다. 당장 낼 학교에 가야 하는데, 신고 갈 여분의 신발이 없었다. 지금에야 신발 사러 바로 갈 수 있지만, 그때는 이미 저녁 시간인데다가 신작로까지 한 시간 걸어가서 버스를 타고 시내까지 가야 하니 신발을 살 수 없었다.

아침에 엄마가 신고 다니시던 뒤꿈치가 없는 보라색 고무 슬리퍼를 주시며 신고 가라고 하셨다. 눈이 소복이 쌓인 추운 겨울 산을 넘어 신작로까지 걸어가야 한다. 뒤꿈치가 없는 고무 슬리퍼를 신고 가라니……. 학교 안 간다고 말도 못 하고 울면서 눈길을 걸어 버스정류장까지 갔다. 오르막길에선 미끄러운 고무 슬리퍼가 훌러덩 벗겨지기 일쑤고, 추위에 고무 슬리퍼는 더 뻣뻣해져서 발과 양말이 슬리퍼 안에서 따로 놀며 양말은 빙빙 돌아가 있었다. 걸을 때마다 쌓인 눈들이 슬리퍼 안으로 들어왔다. 이미 양말은 다 젖었고 발가락은 얼얼하면서 감각이 없다. 겨우 버스를 타고도 누가 내 발만 보고 있는 것 같았다. 학교에 도착해서 누가 볼까 봐 주위를 살피고 아무도 없는 것을 확인하고 신발장 한편에 슬리퍼를 두었다.

청소시간에 반 친구가 웬 낡은 어른 슬리퍼가 신발장에 있냐며 버리려고 했다. 그도 그럴 것이 엄마가 신던 슬리퍼도 새것은 아니었다. 나는 아무 말도 못 하고 미적미적하다 쓰레기통에

슬리퍼를 버리려고 하는 순간 기어들어가는 소리로 “내 거야...”라고 대답했다. 그리고 다시 그 슬리퍼를 신고 어떻게 집으로 왔는지 기억이 안 난다.

아들이 사준 운동화를 보며 어릴 적 잊고 있었던 기억을 떠올려본다. 거북이 마을 오룡리 우리 동네에 버스가 들어온 때는 내가 청년이 되어 객지에 나왔을 때다. 시내버스는 하루 세 번 온다. 내 나이 오십이 된 지금도 눈이 많이 오면 버스가 동네에 들어오지 않는다. 사방을 둘러봐도 어디 한쪽 탁 트인 곳 없이 병풍처럼 겹겹이 산으로 둘러싸여 있는 지금 시골엔 할머니도, 부모님도, 바둑이도 없다. 주말에는 뒤꿈치가 없는 보라색 고무 슬리퍼 신고 걸어갔던 친정 동네에 아들이 사준 운동화를 신고 다녀와야겠다.

‘알았다고’와 ‘그렇다고’

“만난 지 얼마 안 되시나 봐요?”

버스 정류장 의자에 앉아서 내게 계속 말을 건네는 남편을 보며 옆에 앉아 계시던 아주머니께서 하신 말씀이다. 나는 눈이 동그래지며 대답한다.

“네? 조금 있으면 30년이 돼요.”

유성 장날이면 남편과 나는 버스를 타고 재래시장에 간다. 남편이 좋아하는 도토리묵과 내가 좋아하는 한과는 빼놓지 않고 사 오는 단골 메뉴이다. 집 근처에 대형마트가 있지만 장날이면 재래시장에서 칼국수를 사 먹고, 시장 골목마다 돌아다니며 구경하는 재미가 쏠쏠해서 간다.

시골에 농사 지은 야채를 길에 펴 놓고 파는 할머니들의 모습, 싱싱한 생선과 싸고 맛있는 먹거리들이 팔기 위해 소리치며 손님을 끄는 소리도 정겹다. 이날도 도토리묵과 꽈배기, 양파와 애호박이 든 배낭을 메고 버스 정류장으로 가는데 먹음직한 사과가 있길래 가격을 물어보니 비싸서 그냥 지나쳤다. 사과가 얼만지 물어만 보고 사지 않고 정류장에 온 나를 보며

"장에만 오면 지갑에 있는 돈을 다 써야 가요~"

"오늘도 들고 가기 힘들 만큼 사 가지고는 나이 든 서방한테 들라고 하네~"

"사과 사러 다시 갈까?"

"또 살게 있지 않아?"

"여기 옆에 와서 앉죠~"

라며 쉬지 않고 말을 거는 남편의 얼굴을 보고 곁에서 지켜보시던 아주머니가 '만난 지 얼마 안 되시나 봐요?'라고 물으신다. 남편이 하도 다정하게 말을 해서 물어보셨다는거다.

나이 들어 보이는 남편과 어려 보이는 나를 보며 30년 가까이 살고 있다고 말하자 다소 놀란 표정이다. 괜히 머쓱해서 남편보다 흰머리가 더 많아서 어제 염색을 했다고 덧붙였다. 남편의 옆자리에 앉아 계셨던 아주머니는 알 수 없는 눈빛으로 무언가를 말하고 싶어하시는 것 같았는데, 마침 버스가 도착하자 서둘러 자리를 뜨셨다. 버스에 오른 아주머니를 눈으로 배웅하고서는 남편에게 왜 자꾸 장난을 쳐서 괜스레 나이 든 어른 혼란스럽게

하냐고 한 소리 했다. 그런데 남편은 만나지 얼마 안 되냐고 묻던 아주머니의 말이 싫지 않았는지 버스에 탄 아주머니를 바라보며 연신 웃기만 한다.

남편은 '밥 먹었나? 아는? 자자!' 하루에 세 마디만 한다는 경상도 사람이다. 그러나 남편은 나보다 말이 더 많다. 밖에 갔다 오면 밖에서 있었던 일들을 사소한 일들까지 다 얘기한다. 밖에서 5시간을 보내면, 있었던 일들을 5시간 동안 얘기할 기세다. 그러다 보니 남편과의 대화에서 상대적으로 나는 말이 적어진다.

요즘 매일 남편이 내게 하는 말이 있다. '여보 사랑해~'라는 말이다. 남편은 사랑한다는 말을 하며 내가 대답해 주길 바란다. 처음 쑥스러워 장난삼아 하던 말이 이제 습관이 되었는지 매일 세 번 이상을 말한다. 늘 간절한 눈빛으로 나의 답을 기다린다. 그러나 나의 대답은 간단하다. 열한 살 많은 남편은 오늘 아침에도 내게 묻는다.

"여보 사랑해~"
"알았다고~"
"여보 나 사랑하지?"
"그렇다고~"

김미경

한 직장에서 36년간 근무하면서 보고서가 늘 고민이었습니다.
충남대 평생교육원에서 동료 수강생분들의 멋진 글들을 접하며,
폼 나는 보고서를 넘어 작가를 꿈꾸게 되었습니다. 새해엔 독서와
글쓰기에 전념하리라 다짐해 봅니다.

밤 줍기

나의 직장은 한적한 시골에 야트막한 산을 등지고 자리하고 있다. 직장 건물 뒤로 산길이 나 있고, 길을 걷다 보면 곳곳에 밤나무와 도토리나무가 있어 가을에는 길 위로 열매들이 떨어져 있곤 한다. 평소 점심시간에 산책을 즐겨 하는 나는 밤을 그리 좋아하지 않아 산길에 밤과 도토리가 떨어져 있어도 무관심하게 지나쳤다.

어느 날 직장 선배가 점심시간에 밤을 주으러 가지고 하였다. 나는 재미 삼아 선배를 따라 나섰고, 선배는 밤이 많이 떨어진 곳을 잘 찾아내었다. 밤이 많아서 정신없이 봉투에 주워 담았지만, 일일이 밤을 까는 것은 만만찮은 작업이었다. 등산화로 밤송이를 밟아 벌어진 밤송이 안의 밤을 빼냈는데 하다 보니 가시에 찔리기도 하여 의외로 시간이 많이 걸렸다.

선배는 밤 크기가 작다고 다른 곳을 찾아보겠다고 나섰는데 한참을 줍고 있던 나는 선배가 너무 연락이 없어 전화를 해 보았더니 다른 곳 한군데를 발견해 줍고 있다고 오라고 하였다. 찾아가서 보니 선배는 이미 준비해 간 비닐봉지 한가득 밤을 주워서 낑낑대며 오고 있었다. 내가 줍던 자리보다 훨씬 큰 밤이 떨어져 있는 곳을 찾은 것이다. 선배는 집에 쓰지 않는 가죽장갑이 있으면 밤송이 까는데 아주 유용하다고 알려주었지만, 혼자서 큰 밤들을 다 주워 담은 선배가 어쩐지 야속하게 느껴져 섭섭함마저 드는 것이었다.

이제 그 선배는 퇴직을 해서 떠나고 그때 찾은 밤 자리는 나의 아지트가 되었다. 재미삼아 주운 밤들을 집으로 가져가니 남편이 너무 좋아하며 맛있게 먹었다. 그제야 남편이 밤을 무척이나 좋아한다는 사실을 알았다. 이제 산길을 걸을 때면 아예 비닐봉지와 가죽장갑을 가지고 다닌다. 막상 관심을 가지고 밤을 주으려 하니 길가에 떨어진 밤들은 이미 앞서간 사람들이 다 주워가 버리고, 좀 더 깊은 곳으로 들어가야만 밤을 주울 수 있을 정도로 밤이 잘 보이지 않았다. 하지만 그때 그 밤 자리는 다녀가는 이가 드문 것 같아서 가는 길에 제일 먼저 들러 본다.

밤을 줍다 보면 여기 사는 다람쥐가 배가 많이 불렀다는 생각이 든다. 이곳 산길은 우리 직장 사람들 외에는 가지 않는 곳이고, 사람들이 좀 주워간다 해도 인적이 드문 더 깊숙한 곳에 워낙 밤이 많은 터라 다람쥐들이 밤을 가져가지 않아 썩거나, 야무지게 먹지 않고 먹다 놔둔 밤들이 여기저기 뒹굴고 있기 때문이다.

특히나 먹다 놔둔 밤들을 보니 아주 큰 밤들이었다. 한번은 청설모랑 마주친 적이 있었는데 소스라치게 놀랐다. 그렇게 큰 청설모를 본 적이 없기 때문이었다. 자기네들 밤을 가져간다고 덤벼들면 꼼짝없이 당할 정도로 컸지만, 다행히 그런 건 괘념치 않을 정도로 밤이나 도토리가 많았다.

태풍이 지나간 어느 날, 산길을 걷는데 평상시보다 밤이 엄청나게 많이 떨어져 있는 것을 발견하였다. 태풍으로 인해 밤들이 우수수 다 떨어진 것이었다. 혹시나 비가 많이 온 날도 가 보았더니 역시나 평상시보다 많이 떨어져 있었다. 이날은 아주 수월하게 밤들을 주워 올 수 있었다. 점점 밤 줍기에 노하우가 쌓이는 것 같아 어깨가 으쓱거려졌다.

추석 연휴에는 김해로 내려가기 때문에 연휴 앞날 퇴근하자마자 산길로 올라갔다. 부모님과 동생들에게도 밤을 좀 나누어 주고, 6일이나 쉬고 오면 밤들이 떨어져 벌레도 많이 먹고, 썩을 가능성이 높기 때문에 많이 주워 가야겠다는 생각에서였다.

때마침 비도 좀 와서 밤이 많이 떨어져 있었다. 이곳저곳 나누어 먹을 생각에 열심히 밤을 줍다가 문득 내 삶의 스토리텔링 숙제가 생각이 났다. 계속 무슨 주제로 쓸까 고민을 하던 중이었는데 순간 밤 줍는 내용을 쓰면 될 것 같았다. 밤 줍는 일도 몸을 움직이는 일이지 않는가. 특히나 밤 줍느라 정신없이 다녔더니 허리까지 너무 아파 왔다. 역시 나이는 못 속이는 모양이다. 그래도 밤들을 포기할 수 없어 아픈 걸 참으면서 열심히 밤을 주웠다. 밤 줍기를 어떤 식으로 쓸까 생각에 생각을 거듭하다 갑자기 기발한 아이디어가 떠올랐다. 밤 줍기 발표를 끝내고 수업 들으시는 모든 분들에게 적은 양이라도 밤을 나누어 주면 모두가 즐거워하지 않을까?

여기 있는 밤을 삶아 먹어보니 경상도 밤보다 충청도 밤이 훨씬 맛있었다. 크기가 좀 작은 게 문제이긴 하지만, 여기에서 주운 밤을 맛 보여 주고 싶은 생각이 들자 갑자기 마음이 바빠지면서 허리 아픈 게 눈 녹듯이 사라졌다.

해지기 전에 서둘러 줍고 큰 봉지 한가득 허리를 휘청거리며 안고 내려왔다. 집에 와서 주워 온 밤을 펼쳐 놓고 보니 아뿔싸~ 아이디어는 기발하였으나, 밤이 형편없었다. 산에서 주울 때는 밤들이 반짝반짝 빛이 나고 토실해 보였으나, 막상 나누어 주려고 고르다 보니 반 정도는 벌레가 먹었고, 크기가 너무 작았다. 이 일을 어쩐다! 그냥 몸을 움직인 일로만 끝낼까. 고민 끝에 작지만 쓸 만한 밤들만 골라 12봉지에 나누어 담았다. 발표 중간에 잔뜩 기대를 하였다가 막상 봉지에 담긴 자잘한 밤들을 보면 실망할 것 같았지만 그래도 마음만은 봉지에 가득 담아 새지 않게 꼭꼭 묶어 본다. 올해 밤 줍기는 내 삶의 스토리텔링과 잘 버무려져 보람 있게 되는 것 같다.

나는 '타타타' 이다.

'타타타'는 산스크리트어로 '있는 그대로의 것'을 뜻하는데 가수 김국환씨의 노래 '타타타' 가사에서 나의 인생을 돌아볼 수 있었다. 가사 내용 중 '바람이 부는 날엔 바람으로, 비 오면 비에 젖어 사는거지 그런거지. 산다는 건 좋은 거지. 수지맞는 장사잖소. 알몸으로 태어나서 옷 한 벌은 건졌잖소. 우리네 헛짚는 인생살이 한세상 걱정조차 없이 살면 무슨 재미 그런 게 덤이잖소'란 부분이 마음에 와 닿는다. 인생을 살아오면서 어느 정도 마음을 내려놓았다는 의미일 텐데 많은 것을 생각나게 하는 구절이다.

소설가 박경리씨는 '다시 젊어지고 싶지 않다. 모진 세월 가고. 아아~ 편안하다. 늙어서 이렇게 편안한 것을. 버리고 갈 것만 남아서 홀가분하다'고 했고, 박완서씨는, '나이가 드니 마음 놓고 고무줄 바지를 입을 수 있는 것처럼 나 편한대로 헐렁하게 살 수 있어서 좋고, 하고 싶지 않는 것을 안 할 수 있어 좋다.'라고 했다.

이 두 명의 여류작가 얘기에 전적으로 공감하는 것은 그 말의 의미를 이제는 알겠기 때문이다. 학창시절에는 형편이 어려워 부모님께서 엄청 고생하시는 것을 보며 자랐고, 결혼 후에는 4대 독자 외동아들에 홀시어머니 모시고 사느라 많이 힘들었다. 오래 몸 담고 있는 직장생활도 순탄치 않았다. 그러다보니 화도 잘 내고, 자존감도 낮아지고, 수시로 남과 비교했다.

우연히 인간이 죽으면 거기서 끝나는 게 아니고 다음 생이 있다는 것, 죽을 때 아무것도 가져갈 수 없고, 오로지 남에게 베푼 것만 가져간다는 것, 대부분 각자의 인생은 전생에 의해 어느 정도 정해져 있다는 것 등을 믿게 되며 생각이 많이 긍정적으로 바뀌어지기 시작했다.

산전수전, 공중전, 화생방전까지 겪으면서 마음의 근육이 생겼다고나 할까. 타타타 노래 가사에 절로 고개가 끄덕여지고, 나이든 여류작가의 얘기에 절로 무릎이 탁 쳐졌다. 바람이 부는 날엔 바람으로, 비 오면 비에 젖어 사는 거지 그런 거지. 마음을 비우면 세상에 참 감사할 일이 많다.

마음 상태에 관한 글을 쓰면서

'내 삶의 스토리텔링' 수업을 시작하면서부터 일주일 내내 숙제를 생각한다. 쓸 거리를 찾는데 만 며칠이 걸린다. 이번 주 숙제는 '내 마음 상태에 관한 글'에 대해서 쓰는 것이었는데 며칠을 고민해도 마음 상태에 대해 떠오르는 것이 없었다.

그래도 수업 일이 다가오면 급하게 뭔가는 떠오른다. 이번 숙제에 대해서 고민 끝에 평소 친하게 지냈던 직장 선배와 친구에게 최근에 느꼈던 나의 감정들을 정리해 보기로 했다. 퇴근 무렵에 전화를 건 선배는 내가 전화를 자주 하지 않아 섭섭함을 표시했는데, 나는 오랜 친구가 도통 내게 전화를 자주 하지 않아 섭섭함을 느끼고 있던 참이었다. 각각의 위치에서 느끼는 감정들이 서로 교차되면서 나 자신을 돌아보게 되었다. 내가 선배에게 전화를 자주 하지 않는 이유와 친구가 나에게 전화를 하지 않는 이유들을 짚어 보며 틈틈이 감정들을 써 내려갔다. 어느 정도 글이 완성되었다. 내일 한 번 더 읽어보고 좀 더 다듬으면 발표를 할 수 있을 것 같다는 생각에 안도의 숨을 쉬며 저장을 하고 컴퓨터를 껐다.

다음날 마무리를 위해 컴퓨터를 켰으나, 어제 차근차근 그간의 감정들을 생각해 가며 써 두었던 글이 저장이 되지 않고 홀라당 사라지고 없는 것을 발견하였다. 이럴 수가! 수업이 코앞인데 너무 충격이었다. 믿을 수 없었다. 몹시 흥분되고 당황스러워 컴퓨터를 이 잡듯이 뒤져 보았으나, 결국 어디에도 어제 작업한 글이 없었다. 허탈하고 분노가 치밀었다. 얼마나 내가 감정에 충실하게 쓴 글이었는데, 어떻게 어제의 그 감정들을 다시 살린 단 말인가.

실망이 커서인지 다시 작성할 엄두가 나지 않았다. 혹시나 하는 마음에 컴퓨터를 껐다가 켜기를 반복해도 보았다. 결국 사라지고 없다는 것을 인정해야 했다. 오후에 자리에 앉아 마음을 비우고 다시 써 내려갔지만, 어제 혼신의 힘을 기울였던 기억과 허탈한 마음이 뒤섞여 글이 제대로 쓰지 질 않았다.

저장된 글들을 다시 확인해 보고 컴퓨터를 끌 걸, 아니야, 출력을 해 놨어야 했어. 아니야, 어차피 없는 거 빨리 포기하고 글을 썼어야 했어. 후회가 물밀듯이 밀려왔다, 고민 끝에 방향을 바꾸었다. 지금 현재의 감정에 충실하기로 했다. 오히려 이런 화나고 속상한 마음을 글로 써 내려가다 보니 분노가 치밀었던 마음이 어느 정도 비워지면서 다시 편안해졌다. 아하~ 이게 글쓰기의 위력이구나. 다음에도 속이 너무 상하거나 화가 날 일이 생기면 그 마음을 글로써 풀어봐야 되겠구나. 대단한 발견이었다. 앞으로 글쓰기를 더욱 재미있게 잘 할 수 있을 것 같은 자신감이 생겼다.

애마의 항변

아따~ 주인님요~ 내 야그 한번 들어보소. 내가 주인님을 모신지 어언 8년, 나도 8살이 되었소. 나도 이제 주인님만큼 중년이 되었는데 나이에 비해 사람들이 다 깔끔하고 젊어 보인다라고 하는디 분명한 것은 주인님이 관심을 가지고 잘 관리한 것이 아니고 내가 타고 난 동안이라는 것이오.

8년동안 솔직히 주인님한테 불만이 좀 많소. 아무리 내가 외모가 좀 깔끔해 보인다 하더라도 주인님은 인간적으로 너무 청소를 하지 않소. 동네 뒷산에 갔다 오면서 신발에 흙을 좀 털고 타면 안되오? 회식이라도 있는 날이면 5명 정원에 건장한 남정네들 포함 6명이나 태워 갖고 엉덩이가 내려 앉을까봐 내가 얼마나 조바심을 내며 가는지도 모르고, 자기들은 뭐가 그리 좋은 지 왁자지껄하게 떠들며 갑디다. 그 남정네들은 내 몸 구석구석에다 신발 자국 툭툭 찍어 놓고, 내리고 난 자리에는 흙이 얼마나 떨어져 있는지 아시오? 나도 좀 깔끔하게 살고 싶다는 소리가 목구멍까지 올라온단 말이요.

최근에는 정기검사를 하러 가서야 엔진오일이 바닥난 걸 알았잖소. 정말 부끄러워 죽겠습니다요. 휘발유 같은 경우도 떨어지기 전에 미리미리 좀 넣어주면 얼마나 좋소? 내가 불안해서리 계속 빨간 표시등으로 가슴이 터져라 알려 주는데도 내 심장이 멎기 직전에야 주유를 해 주는 건 도무지 무슨 심뽀요?

고속도로에서는 앞차를 들이박을 듯이 달려서 내가 늘상 마음의 준비를 하건만 도무지 심장박동과 혈압이 올라서 살수가 없소. 집에 있는 아반떼도 고속도로에서 졸다가 2번이나 들이박았다고 조심해라 합디다. 이제 생각해 보니 주인 잘못 만나 내가 죽을뻔한 적이 한 두번이 아니었소. 생각만 해도 심장이 벌렁벌렁, 간이 다 쪼그라졌소.

내가 웬만하면 남하고 비교를 안 하려 했는데 주차장에 맨날 옆에 대는 거 제네시스인가 하는 친구 참 부럽습디다. 내보다 훨씬 품위도 있고 멋지기도 하지만 그 주인은 맨날 신발 털어서 타고, 매일매일 닦아서 광도 내 주고 안은 또 얼마나 깔끔한지 아시오?

나는 광까지는 바라지도 않소. 제발 앞 유리나 문짝에 떨어져 있는 새똥이나 제때 좀 닦아 주슈. 비 올 때까지 기다리지 말고. 주인님 얼굴에 새똥 떨어지면 비 올 때까지 있겠능교? 내가 제네시스가 쳐다볼까봐 부끄러워서 밤중에 윈도우 브러쉬를 막 흔들어 봐도 절대로 안 떨어 집디다. 비록 내가 좀 볼품이 없어도 우리 깔끔하게는 좀 하고 삽시다.

근데 요즘 주인님이 왜 이상해졌능교? 직장에 설치되어 있는 진공청소기로 열심히 청소를 안 하나, 발판도 수시로 털어주고, 산길을 걷다 오는 날에는 기계에 신발도 꼭 털고 옵디다. 혹시 제네시스가 뭐라고 고자질이라도 하던가요? 좀 찔리긴 했지만 그렇게 청소를 해주니 기분은 매우 좋습디다. 많이도 안 바랍니다. 딱 요즘 정도만 해 주시면 아주 편안하고 가볍게 달려 드릴께요. 그리 오래 갈 것 같지는 않지만 그래도 왠지 이번에는 기대가 됩니다. 주인님~~ 믿습니다. 쭈우욱~ 아자아자!!!

여주로 여행을 떠나다

“언니, 바람 쐬러 갈 테니 잠 좀 재워주세요.”
여주에서 전원주택을 짓고 소박하게 살고 있는 퇴직한 직장 선배에게 무작정 전화를 걸었다. 오케이 허락도 받기 전에 미리 짐을 싸 두었고, 다른 언니 한 명과 같이 여주로 떠났다.

경상도에서 충청도 그리고 강원도로 이어지는 길에서 본 산들은 계절의 변화가 확연히 차이가 났다. 아직은 푸른빛이 무성했던 경상도를 지나 충청도 그리고 강원도 여주로 넘어 갔을 땐 대부분 앙상한 가지의 나무들이 산을 주로 이루고 있었다. 바닥엔 한때 화려했을 단풍 옷들이 밟으면 부서질 듯 색이 바랜 채 뒹굴고 있었다.

여주의 언니는 올해 5월에 오픈한 유럽형 테마파크 ‘루덴시아’라는 곳에 우리들을 데려갔다. 유럽의 어느 여행지를 옮겨 놓은 듯한 루덴시아는 유럽에서 직수입한 벽돌을 비롯하여 오랜 역사를 가진 재봉틀, 기차, 카메라, 장난감자동차, 각종 조각품 등 유럽의 시대별 소품들로 방대하게 꾸며져 있었는데 마치 박물관을 연상케 하였다.

그러나 오늘 우리의 주관심사는 유럽풍 건물도, 각종 오랜 역사를 지닌 소품들도 아니었다. 얼마 전에 TV '박원숙의 같이 삽시다' 팀들이 다녀간 곳, 추억의 LP 전시 공간, 그 중에서도 혜은이와 김혜림이 추억에 잠겼던 한국 음반코너를 가보고 싶었다. 마치 보물찾기를 하듯 한참을 헤매어 추억의 한국 음반코너를 찾았고 한 달 전 혜은이와 김혜림이 다녀가면서 싸인 했던 곳을 찾고는 박수 치며 즐거워했다.

같은 시대를 공유했던 우리 셋은 정말 앳되고 풋풋했던 혜은이, 이선희, 전영록, 조용필 등 수많은 당시 유명가수들의 젊은 시절과 지금을 비교하며 깔깔 웃고 감탄하며 추억에 잠겼다. 최근 예능프로그램에서 갑자기 늙어버린 이택림 사진도 눈에 보여 혀를 끌끌 차기도 했다. 우리의 젊은 시절 인기 있었던 톱스타들의 노후의 모습에서 우린 부러움과 안타까움을 연발하며 화젯거리로 삼는다. 평범한 우리들도 옛 사진을 보며 많이 늙어버린 모습에 힘이 빠지고 더 이상 사진 찍기를 거부하는데 한 시대를 풍미했던 인기 톱스타들이야 말로 자기의 늙은 모습에 얼마나 자괴감이 들까.

나이 들어서 가장 힘든 3가지가 돈 없고 건강 잃고 외로운 것이라고 한다. 멋진 노후를 보내고 있는 연예인들이 있는가 하면, 관리를 못해 노후가 힘들고 건강까지 잃고 힘들게 살고 있는 연예인들을 많이 보아왔다. 그런 연예인들 보다 평범하지만 곱게 잘 늙고 단란한 가정을 이루고 있는 우리 셋의 삶이 마냥 행복하게 생각되었다.

돌아오는 길에 들른 어느 카페에서 앙상한 나무들 사이로 모과가 딱 한 개 달려있는 것을 보았다. 주인이 일부러 남겨 놓았는지, 아님 다 떨어지고 한 개가 자연스레 남은 건지는 모르겠으나, 마치 O. 헨리의 '마지막 잎새' 처럼 이 바람에도 노란빛을 발하며 굳건히 버티고 있는 모습을 보니 젊은 시절 여러 가지 애환을 겪으면서 굳건히 잘 버텨 지금은 여유로운 삶을 지내고 있는 선배언니들 그리고 나의 모습을 말해 주는 것 같았다.

그래, 나도 언젠가는 다른 모과 같이 다 떨어지겠지만 지금은 빛을 발하고 있는 저 모과처럼 씩씩하게 열심히 살 때야. 모과야 힘내서 잘 버텨 주렴. 나도 열심히 살게. 한참을 돌아오는 길까지도 모과를 계속 돌아보았다. 최근 조금 가라앉고 있던 자신감이 다시 차오름을 느꼈다.

나를 행복하게 하는 사람

시골생활 2년차인 친구가 커다란 박스를 부쳐 왔다. 예상대로 고구마, 땅콩, 녹두, 참깨 등 텃밭에서 키운 갖가지 농작물들이 가득 들어 있었다. 굵고 색깔 좋은 고구마를 뒤 베란다에 푸짐하게 쌓아 놓고 볼 때마다 일부러 나누어 먹으려고 텃밭을 하니 맛있게 먹어주면 된다던 친구 생각에 절로 웃음이 나왔다.

어머님이 녹두를 물에 담가보니 불지 않고 딱딱한 것이 너무 많아 제법 많이 버렸고, 참깨도 모래 같은 것이 많아 씻는데 애를 먹었다면서 약간 불만스럽게 말씀하셨으나 나는 개의치 않았다. 도시에 살다가 처음으로 시골로 가서 텃밭을 짓는데 전문 농사꾼처럼 작품이 잘 나올 리 없기 때문이다.

문득 작년에 시골 친구 집에 처음 갔을 때 나를 위해 두부를 만들어 주었던 게 생각났다. 콩을 삶고, 갈고, 끓이면서 간수를 넣는 것 까지는 제법 그럴 듯하였으나, 완성된 두부의 모양이 영 엉성하였다. 그러나 갓 삶은 데다 친구의 정성이 들어가서인지 어떤 두부보다 맛있었다. 이어서 미리 만들어 둔 도토리묵을 썰어 주었는데 이번에는 모양은 그럴 듯하였으나, 찰랑찰랑하는 일반 묵과는 달리 되직하게 쑤어졌는지 제법 딱딱하였다. 마냥 뿌듯해 하는 친구의 표정을 보며 딱딱해도 내색 않고 열심히 먹었는데 나름 도토리 특유의 쌉싸름한 맛이 양념장과 어우러져 시중에 파는 것보다 훨씬 깊은 맛이 느껴졌다.

친구는 남은 엉성한 두부와 딱딱한 묵들을 열심히 이웃들에게 나누어 주었다. 이게 내 친구의 장점이다. 시골 인심이 아니라 원래 인심이 좋은 사람인 것이다. 언제나 긍정적이고 힘든 내색하지 않는 친구에게 나는 인생 고민상담도 많이 했다. 그러면 언제나 긍정적인 답을 주었다. 아쉽게도 이제 시골생활이 바빠 예전처럼 전화통화가 많지는 않지만, 가끔씩 날아오는 안부문자 한 통, 농작물 박스들이 친구의 마음을 싣고 와 나를 행복하게 한다.

친구가 보내 준 팔뚝만 한 고구마를 보고 있으니 엊그제 유튜브에서 고구마 스프를 만드는 것을 본 것이 생각났다. 고구마 스프를 한 번도 먹어본 적이 없는 가족들에게 감동을 주고 싶었다. 유튜브를 켜서 다시 재료와 순서를 확인 후 양파와 고구마를 깍둑 모양으로 썰었다. 먼저 양파를 노릇노릇하게 볶아야 하나, 볶다 보니 양파가 갈색으로 볶여졌다. 약간 불안했지만 물을 붓고 썰어 둔 고구마를 넣어 뚜껑을 덮고 끓였다. 물의 양을 정확하게 알기가 좀 어려웠으나 대충 재료들이 잠길 정도만 넣으면 될 것 같았다. 식혀서 믹서기에 갈고 다시 끓이는 사이에 불려 둔 캐슈넛을 물을 조금 부어 갈아서 끓고 있는 고구마 스프에 끼얹었다. 캐슈넛 물이 들어가니 스프의 양이 생각보다 훨씬 많아졌다. 점점 유튜브의 먹음직스러운 고구마 스프와는 멀어지는 것 같았다. 소금으로 간을 하고 먹어보니 고구마의 단맛이 많이 느껴져서 제대로 된 스프인지 슬슬 불안해졌다. 소금을 넣고 또 넣었다. 계속 단맛이 나는 것 같았다. 일단 불은 껐지만 스프가 아닌 죽 같았다. 유튜브처럼 파슬리라도 잘게 다져 넣었으면 그나마 스프처럼 보일 수 있었으나, 그것조차 없어서 더욱 폼이 나지 않았다. 가족들이 먹지 않을 것 같은 불안감이 점점 커졌다.

딸아이가 퇴근하고 와서 다 같이 저녁을 먹었다. 자신이 없어 눈치 보며 슬그머니 고구마 스프를 내놓았다. 가족들이 생전 처음 보는 음식에 눈이 휘둥그레졌다. 무엇인지 궁금해해서 일단 먹은 후 맞추어 보라고 하였다. 아무도 고구마 스프를 맞추지 못하였다. 내가 고구마 스프라고 하니까 다들 너무 맛있다고 그릇을 다 비우는 것이 아닌가. 놀라운 일이었다. 딸아이가 파슬리가루가 집에 있었다며 위치를 가르쳐 주었다. 아, 그제야 생각났다. 파슬리가루까지 넣었으면 가족들이 더욱 감동받았을 텐데 아쉬웠다. 불안감은 어느새 사라지고 가족들의 의외의 반응에 어깨가 으쓱거려졌다.

친구의 엉성한 두부와 딱딱한 도토리묵 같은 고구마 스프가 열심히 농사를 짓고, 맛있게 만들어 주고 싶은 친구의 정성과 나의 가족들에 대한 마음이 어우러져 의외의 맛있는 스프가 되지 않았을까 생각해 본다. 친구와 가족 모두 나에게 행복을 주는 사람들이다. 그런 가족들을 위해 고구마 스프에 도전해 보길 잘했다는 생각이 들었다. 새로운 반찬이 필요할 때면 친구가 보내준 감자로 감자 스프에 도전해 봐야겠다. 이번에는 파슬리가루를 꼭 넣으리라

박춘걸

사람을 만나면 행복하고 따지기보다 상상하기를 좋아하며 의외로 감수성이 풍부하지만 성격은 급한 행동파입니다. A.I를 연구하며 문학을 즐기는 이중생활이 마냥 즐거운 작가 지망생입니다.

향수

산인의 추억

기다림에 대하여

치즈 인 더 트랩

꿈, 당연하지 않은 것들

운명 같은 글쓰기

향수鄕愁

"딸랑~ 딸랑~"

창에 매달려 흔들리는 풍경소리가 나를 군 시절 머물렀던 시공간으로 이끈다. 눈을 뜨고 싶지 않다! 멀리 푸른 바다 위 살짝 고개를 내민 햇님의 눈총이, 파도를 타고 따사로운 바람이 되어 내 볼을 타고 흐른다. 넓고 깊은 동해 바다의 넉넉한 품속에서 지난 밤 오징어들의 진했던 춤사위가 느껴질 만큼 짠 내음이 코를 스친다.

"딸랑~ 딸랑~"

이번에는 지난 겨울 언덕 위 목장 소들의 뼈마디를 시리게 했던 눈보라의 기억을 담고 있는 듯 시원한 바람이다. 깊고 너른 품으로 온 세상을 안아줄 것 같은 동해 바닷가. 웅장하고 높게 솟아오른 설악산을 배경으로 하고, 오른편 언덕 위 소들이 한가로이 풀을 뜯는 목장이 있다. 왼편으로는 하루에 일곱 번. 하늘을 향해 날개를 활짝 펼쳐 들고 날아오를 준비가 되어 있는 비행기들의 휴식처가 있다. 아침 이슬을 먹고 한 뼘 더 자란 듯한 너른 잔디밭을 지나 빨간 벽돌을 품은 오래된 건물이 있다.

"딸랑~ 딸랑~"

풍경소리를 뒤로 하고 창문을 넘어 들어서니 네모난 방이 나타난다. 양쪽으로 마루가 있고 가지런히 정돈된 회색 빛 사물함 아래 짙은 초록색 이불을 덮고 잠을 자고 있는 까까머리 사람들이 보인다.

"빠!빠! 빠빠빠! 빠빠라빠빠! 빠빠빠!"

기상나팔 소리가 들린다. '아! 안돼! 조금만 더 저 풍경소리와 함께 꿈속을 헤엄치고 싶은데...' 하지만, "기상하십쇼~" 하는 마지막 불침번의 목소리에 번쩍 눈을 뜬다. 우당탕탕! 시끄러운 소리에 돌아보니, 마루 맨 끝 침상에 누워있던 신병의 관물대에서 물건이 떨어졌다. 아직 잠이 덜 깬 듯 서투른 동작으로 침구를 정리하다 물건을 떨어뜨린 모양이다. 절로 솟아나는 웃음을 꾸욱 눌러 참고, 나는 물 흐르듯 빠르고 유연한 동작과 여유있는 미소를 띤 채 침구를 정리하고 옷을 갈아입는다.

오늘은 군 생활의 마지막 날. 모든 것이 마지막이다. 어젯밤 밖에 보초를 세워 놓고 전우들과 몰래 창고에서 마셨던 술도, 오늘 아침

기상나팔 소리도, 그렇게도 먹기 싫어 인상을 썼던 짬밥도 마지막이다. 국방부 시계는 거꾸로 매달아 놔도 돌아간다고 하더니 26개월이라는 시간이 훌쩍 지났다. 이제 전역신고만 하고 나면 나는 자유다. 철조망 하나를 사이에 두고 그렇게도 애타게 원하던 민간인이 되는 것이다. 하지만 하나도 안 아쉽다. 다시는 뒤도 돌아보지 않으리라 마음먹었다.

"충성! 신고합니다! 병장 OOO은 1997년 6월 5일 전역을 명 받았습니다. 이에 신고합니다!"
전역신고는 짧게 끝났다. 그동안 함께 했던 전우들과 하나 하나 눈을 마주치고 작별을 나눴다.
"잘 사세요~ O병장님. 밖에 가면 꼭 봐요."
아쉬움과 부러움이 교차한 눈빛으로 환송하는 후임병들을 뒤로 하고, 드디어 철의 장벽인 위병초소를 나선다. 나는 잠시 멈춰, 동해 바다를 품에 안을 듯 크게 팔을 벌리고 눈코입을 한껏 열어 가슴까지 뻥 뚫릴 듯한 시원한 공기를 흡입한다. 드디어 완전한 자유의 기분을 만끽한다.

26년의 시공을 넘어 다시 6월이 찾아왔다. 여느 때처럼 여름의 시작을 알리는 6월. 새벽녘 꿈과 현실의 경계를 넘나들 때, 사르르 창틀을 넘어 커튼을 스치며 전해지는 바람의 감촉은 어김없이 나를 그 시절로 이끈다. 동해 바다 햇살, 바람, 목장, 설악산, 풍경소리. 이 모든 목가적인 기억들이 더 없는 행복감으로 내 감각들을 살려내는 것이다. 그래서일까? 나의 글쓰기의 감각이 가장 예민해지는 시간도 이 진한 향수가 밀려올 때인 것 같다.

문득 별 다섯 개 쯤은 달아주고 싶은 '걱정 대장군' 인 회사 친구가 생각난다. 일찍 잘릴 까봐 걱정, 부서에서 밀려날까 봐 걱정, 기대만큼 성과를 못 낸다고 걱정, 잘하고 있는지 모르겠다고 걱정, 동료들이 싫어할까 봐 걱정. 직장에 함께 첫발을 내디뎠던 그 날부터 지금까지 다른 부서에 있다가 최근에 같은 부서에서 일하게 되었다. 멀리서 바라보던 친구의 모습은 나에게 부러움을 살만큼 능력이 많아 보였다. 본인이 가진 능력뿐만이 아니라 부지런 하기까지 해서 영어도 일본어도 프리 토킹 수준이고, 조직 생활의 꽃인 보고서까지 잘 만든다. 한마디로 만능인 셈이다. 그러니 회사에서 걱정 같은 것은 전혀 할 필요가 일도 없을 것 같은 친구이다.

그런데 왜 걱정 대장군이 된 것일까? 그 친구는 스스로 자신의 자존감이 굉장히 낮은 탓이라고 이야기한다. 자신감이 뭔가를 할 수 있는 능력에 대한 믿음이라면, 자존감은 있는 그대로의 나를 존중하는 마음이라고 한다. 여기서 중요한 것은 내가 능력이 있건

없건 간에 있는 그대로의 나를 존중하는 것에 있다. 회사가 필요로 하는 능력이라는 관점에서는 내가 부족함을 느껴 당장의 자신감은 떨어질 수 있으나, 절대 나를 믿는 자존감은 떨어지면 안 된다고 생각한다. 언제든 부족한 능력을 채우고 자신감을 회복할 수 있을 것이라는 '나' 자신에 대한 믿음과 존중을 버리게 되는 순간이 헤어날 수 없는 걱정의 시작인 것이다.

물론, 세상에 걱정이 없는 사람은 없을 것이다. 나도 그렇다. 하지만, 나의 걱정은 굉장히 짧다. 나의 자신감을 떨어뜨리는 상황은 발생할 수는 있지만, 결코 그곳에서 오래 머물게 하지 않고 좋은 기억들을 떠올리려 노력한다. 세상이 마냥 아름답게 느껴지고 무엇이든 할 수 있을 것만 같은 군 시절 그해 6월의 기억처럼 아름다운 기억들을 차곡차곡 쌓아 놓는다. 그리고 힘들 때면, 그날의 향수가 나를 그곳에서 빠져나오게 한다. 그 진한 향기가 '이까짓 것쯤 아무것도 아니야' 라며 상처 난 내 마음을 치유해 주는 것이다. 걱정이 많은 내 친구도 그만한 향수 하나쯤은 가지고 있을텐데……. 언젠가 그 친구를 만나면 오래도록 이야기를 나눠보고 싶다. 친구의 마음 안에도 자리하고 있을 아름다운 기억 하나 찾아 일깨워 주고 싶다.

산인散人의 추억

'더이상은 무리야! 이대로 가다가 죽을 수도 있어!'

새하얀 눈밭을 헤매는 듯 놓아버린 정신 줄 사이로 띄엄띄엄 돌아오는 이성이 소리친다. 그러나, 이미 육체는 돛을 잃고 망망대해를 떠도는 배가 되어 이성의 통제를 거부한 채 흘러가고 있다. '내가 왜 또 여기를 왔나' 하는 후회가 물밀 듯 몰려오지만 이제 돌아가기에는 너무 늦어버렸다.

새벽 2시의 대전 I·C. 모두가 잠들어 있는 시간. 공기가 많이 차가워졌다. 김이 모락모락 피어나는 포장마차 주변에 버스들이 줄지어 있고 사람들이 삼삼오오 모여 있다. 적당한 장소에 차를 대고 얼른 나도 그 무리에 끼어든다. 갑자기 쌀쌀해진 날씨를 이기려 오뎅국물로 몸을 데우고, 자르지도 않은 김밥을 손에 가득 쥐고 밤새 주린 배를 채워 넣는다.

잠시 후, 무리를 따라 버스에 오른다. 각자의 자리는 이미 배정되어 있기에 나는 내 자리를 찾아 앉는다. 스무 명 남짓한 사람들이 각자 두 자리를 차지하고 앉아 있다. 인원 점검이 있은 후 버스는 대전IC를 지나 도시의 불빛을 뒤로한 채 짙은 어둠 속을 달린다. 늦은 가을, 사람들의 체온과 따뜻한 히터를 안고 달리는 버스의 창은 금세 희뿌연 안개로 뒤덮이고, 마치 다가올 고난의 행군을 암시라도 하는 듯, 희뿌연 창과 무거운 침묵은 어느새 우리 모두를 집어삼키고 만다.

얼마나 지났을까? 침묵을 깨고 부스럭대는 소리에 잠을 깬다. 눈을 떠보니 하나 둘 잠을 깬 사람들이 옷을 여미고, 신발 끈을 묶고 눈빛을 빛내고 있다. 그 중에 대장인 듯한 사람이 무언가를 하나씩 나누어 준다. 거기에는 등고선이 표시된 지도가 있었고 노란색 펜으로 오늘 우리가 걸어야 할 길이 표시되어 있었다. 그렇다. 오늘은 산행이 있는 날이다. 백두대간 50번째 구간인 진고개 - 노인봉 - 소황병산 - 매봉 - 곤신봉 - 선자령 – 대관령에 이르는 26km 구간이다. 아직 깜깜한 새벽 녘, 해발 1,072m 오대산 진고개에서 버스는 우리를 내려주고 떠났다. 그들은 내리자마자 헤드 랜턴을 켜고 산을 오르기 시작한다. 그런데 아무도 서로 얘기하지 않는다. 그저 내리자마자 말없이 뚜벅뚜벅 걷기 시작한다. 아니 뛴다고 하는 것이 맞는 것 같다. 어쩌면 저리도 발걸음이 가볍고 빠른 지 그저 놀라울 뿐이었다.

이번이 나는 세 번째 등반이다. 청O산악회라고 하는 대전의 전투형 산악회를 안 것은 같은 회사에 다니는 선배 때문이었다. 가볍게 생각하고 따라 나섰으나, 그건 오산이었다. 매번 20km가 넘는 구간을 시속 4~5km로 달리듯이 오른다. 해발 800m가 넘는 산을 쉼 없이 오르자마자 다시 다른 봉우리를 오르기 위해 달려서 내려온다. 그런데 오늘은 26km, 무려 9시간에 이르는 대장정이다.

오늘도 '부채도사'라는 별명을 가지신 회갑이 지나신 누님(?)이 나를 지나며 농담을 한다. "천천히 쉬엄 쉬엄 와!" 그 뒤로 100km 무박 산행을 즐기신다는 누님이 뒤따른다. 한 시간쯤 지나자 사람들은 보이지 않고, 몸이 무거운 나를 수호하느라 사진을 찍으며 천천히 걸으시는 선배만이 내 곁에 있다. 우리 선배로 말할 것 같으면, 백두대간 왕복 2회, 백두정맥 왕복 2회를 하신 대단하신 분이다.

15km를 넘자 숨이 목까지 차오른다. 정신이 혼미하다. 준비해 간 김밥을 꺼내 놓고 10분 정도 쉬었을까? 다시 갈 길을 재촉한다. 대관령에 이르자 발바닥에 물집이 잡히고 걷기가 힘들다. 하지만 목초지 위로 소들이 풀을 뜯고, 푸른 하늘을 배경으로 대관령

언덕을 오르는 바람이 돌리는 커다란 풍차. 가을 산의 매력에 나는 마치 최면에 걸린 듯 걷게 된다. 아픔도 잊은 채 온종일을 달려 다시 버스를 만나게 된다. 앞서간 형님들과 누님들은 버스 옆에 간이 의자를 펼쳐 놓고 준비해 놓은 김치찌게와 라면을 맛있게 먹고 있다. “왜 이제 와? 우리 벌써 3시간 넘게 기다렸어!” 헉! 3시간이라니... 어떻게 같은 몸뚱아리인데 이렇게도 차이가 있단 말인가?

뜨끈한 김치찌게와 라면을 입에 털어 넣고, 막걸리도 한잔! 캬~. 오면서 내내 불만스러웠던 마음과 몸의 피로가 한순간에 내려간다. 푸른 하늘, 맑은 공기, 흰 구름, 시원한 바람, 적당히 단단해지면서 욱신거리는 다리, 김치찌개, 라면 이 모든 것이 내 몸을 휘돌아 추억으로 꼭꼭 저장된다. ‘산인散人의 추억!’ 세상일을 멀리하고 한가하게 사는 사람을 산인이라 부른다고 한다. 걸으면서는 다시는 오지 않겠다고, 이러다 산에서 객사할지도 모른다는 생각이 들었지만, 시간이 흐르면 그 모든 고통과 괴로움은 모두 사라지고 추억만이 떠오른다. 그리고 나는 다시 산에 오른다. 그리고 웅장한 산을 통해 겸손을 배운다.

지금 나는 인생 50번째 산을 오르고 있다. 돌아보니, 낮은 봉우리에서부터 도저히 넘을 수 없을 것 같았던 많은 봉우리들이 보인다. 때론 넘어지고 주저앉고 싶은 순간도 있었다. 첫사랑에 아파했던 순간도, IMF 사태로 미래가 암울했던 순간도, 시험에 실패한 순간도, 동료들보다 늦어진 승진에 마음 아파했던 순간도 저 아래 희미하게 놓여있다. 고통과 슬픔은 그 순간이었을 뿐, 지금은 행복한 추억만이 저장되어 있다. 노랑, 빨강, 초록으로 울긋불긋 물든 가을산처럼 아픔과 고통으로 멍들었던 내 삶의 상처도 함께 어우러져 물들어가고 있다. 오늘도 나는 가을 산을 오르며 추억을 수놓는다.

기다림에 대하여

지금 이 순간의 편안함이 깨어지지 않기를 바란다. 짙은 어둠이 내려앉아 있으나, 가족들은 모두가 있어야 할 자리에서 깊고 편안한 꿈속에 머물러 있다. 이 편안함 그대로 시간이 멈추어졌으면 좋겠다. 하지만, 무심한 아침은 기어이 다가와 어둠을 몰아내고 가족들을 내 곁에서 떠나보낸다. 그 순간부터 나의 길고 긴 기다림이 시작된다.

아무것도 하기 싫다. 나 혼자 이 집에 머무는 시간은 나에게 무의미한 시간이다. 가족들과 함께 밥을 먹고, 함께 산책하고, 함께 잠드는 시간만이 나에게는 유의미하다. 그래서 최대한 깨어 있는 시간을 줄이려 끊임없이 잠을 청하는 방법이 내가 할 수 있는 전부다. 하지만 신은 나에게 깊은 잠을 잘 수 있는 방법을 주지 않았다. 나의 귀는 너무나 예민해서 문밖의 자그만한 소리에도 반응한다. 엘리베이터가 도착하는 소리, 문밖에 택배 상자를 내려놓는 소리, 누군가가 문 앞에 다가와 무언가를 붙이고 가는 소리. 이 모든 소리들이 나의 깊은 잠을 방해한다.

무엇이 그리 좋은 건지 방긋방긋 웃으며 나의 주변을 맴도는 해님만이 가족들이 떠난 빈자리를 채우는 유일한 친구다. 하지만 나는 이 친구가 별로 마음에 들지 않는다. 해님이 머무는 시간이 나에게는 기다림의 시간이기 때문이다. 동쪽으로 향한 창 너머 산봉우리에서부터 남쪽 하늘을 타원형을 그리며 끊임없이 나를 향해 손을 내밀어 함께 놀자고 유혹한다. 검은 그림자를 동원하기도 하고 나무 뒤편으로 숨기도 한다, 분명 나와 술래잡기를 하자는 것이다. 하지만 난 쉽게 넘어가지 않는다. 나에게는 기다려야 할 사람이 있으니까. 아무 반응도 없이 무표정한 내 얼굴에 삐친 것인지 해님은 결국 서쪽 산너머로 조용히 빛을 끌고 사라진다.

'덜컹!' 그가 결국 돌아왔다. 언젠가 그가 나를 잃고 헤매다 근 한 시간이 지나서야 만난 적이 있는데… 그 때 나는 어렸었고 갑자기 버려진 듯 낯선 세상으로 던져졌다. 어찌할 바를 모르겠고 무섭기도 하고 해서 무작정 달렸다. 눈을 뜨고 보니 아파트 뒤 편 작은 공원 앞 화장실이 보였다. 나는 얼른 그곳으로 뛰어 들어가 몸을 숨겼다. 그래도 그곳은 지붕이 있어서 집에 있는 듯 조금

안심이 되었던 것이다. 그가 수소문 끝에 나를 찾았고 그때서야 신이 나에게 다시 돌아온 듯, 아니 그 일이 있고부터 그가 나에게는 신이 되었다.

그는 나에게 긴 기다림을 주는 존재인 동시에 짧지만 포근한 안식을 준다. 그가 돌아올 때면 나는 이런 나의 마음을 알아주기를 바라며 발로 차보고 소리쳐 보지만, 내 마음과 달리 그는 내 마음을 몰라주는 듯하다. 하지만 그가 결국 나에게는 구원자이며 나의 세계다. 나의 기다림의 시간을 보상해 주려는 듯, 그는 나에게 최선을 다한다. 함께 먹고, 함께 TV를 보고, 함께 이 가을을 만끽하며 걷는다. 그는 나를 좋아하지 않는다고 말하지만, 결국 그거 내가 사라진 세상에서 나를 그리워하며 눈물을 흘려줄 사람이란 걸 나는 안다. 나의 기다림은 결국 사랑이며, 그는 나의 영원한 사랑이다. 그의 시간과 나의 시간은 다르지만 우리가 함께하는 시간이 있다는 것만으로 나는 행복하다.

나는 그의 반려견 영심

치즈 인 더 트랩

나는 책을 접어 놓으며 창문을 열어
흐린 가을 하늘엔 편지를 써
잊혀져 간 꿈들을 다시 만나고파
흐린 가을 하늘에 편지를 써

가을 아침, 아침부터 흐린 날씨, 내가 보고 있는 풍경을 DJ도 보고 있는 것처럼 맞춤형 음악을 내보내는 라디오를 들으며 출근을 한다. 가을 아침 출근 길은 나에게 너무나 큰 행복감을 준다. 나의 삶을 살아가는 데 있어서 가장 큰 행운이라고 느끼는 것 중 하나는 나의 직장이다. 내가 일하는 직장은 전민동 뒤편 작은 산 위에 올라서 있다. 산봉우리를 깎아내고 건물을 지었으며, 마징가가 튀어나올 듯한 대형 물통을 중심으로 네 귀퉁이로 네 개의 건물이 펼쳐져 있다. 건물 앞쪽에는 국제 규격의 축구장이 있고 건물 양쪽에는 작은 언덕을 조성해 놓았다. 언덕 위에는 가을을 느끼기에 딱 알맞은 형형색색의 나무들이 심어져 있다. 연구소 주변에는 아주 오랫동안 이 자리를 지키고 있는 듯한 커다란 소나무와 편백나무, 그리고 단풍나무들이 제각기 자신의 아름다움을 뽐내고 있다. 차를 몰고 언덕을 올라서면 그 아름다운 풍경이 내 눈을 통해 굳어 있던 나의 심장을 간지럽혀 나를 가을에 젖어 들게 한다.

가을은 축제의 계절이다. 오늘은 세 번째 맞는 마을 버스킹이 있는 날이다. 우리 마을은 대전에 신도시로 아파트가 밀집해 있는 지역에 있다. 콘크리트로 둘러싸인 아파트 숲속에서 아내와 나는 그렇게 바쁘게만 살아간다. 앞 집에 누가 사는 지 그리고 옆집에 누가 사는지도 모르고 차가운 일상을 살아간다. 하지만 지난 두번의 마을 버스킹을 통해 '아! 이 마을에도 사람이 산다'는 생각이 들었다. 버스킹이 진행되는 동안 마치 댄스파티가 열리는 것처럼 아이들과 심지어 어른들조차도 음악에 맞추어 하나가 되어 즐길 수 있었다. 나는 아내에게도 따뜻한 마을의 정을 느끼게 해주고 싶었다.

마을 버스킹에서 나는 사회자다. 원래는 첫 번째 버스킹을 한 번만 하기로 했는데 그런대로 소질이 있었는지 결국 고정이 되었다. 오후 늦게까지 소파 위를 뒹굴다 버스킹 장소로 향한다. 버스킹은

해가 질 무렵부터 완전히 어둠이 내려앉을 때까지 약 2시간 동안 진행된다. 오늘도 역시 아이들이 춤추는 모습, 관객들이 음악에 맞춰 휴대폰을 흔드는 모습, 그 따뜻함 속에 서 있는 내 모습을 상상하니 벌써부터 설렘이 가득하다.

하지만 오늘은 더 특별한 날이다. 나의 구애에 못 이겨 아내가 구경을 왔다. 아마도 지난 두 번의 버스킹 동안 한 번도 오지 않는다고 투정을 부렸던 내 말이 통했나 보다. 버스킹이 끝나고 아는 이웃들이 아내에게 인사하며 말을 건넨다.

"남편이 아내를 너무 사랑하시는 거 같아요. 비결이 뭐예요?"

그러자 아내는 퉁명스럽게 답한다.

"무관심이죠!"

아내의 반전 있는 응수에 사람들은 배꼽을 잡고 웃음을 터뜨린다. 아내는 항상 이런 식이다. 사각 턱에 부리부리하게 큰 눈, 시원시원한 말투, 여기에 술까지 잘 마시니 사람들은 금세 나를 잊고 아내의 매력에 빠져 든다.

사실, 처음에 나는 이렇게 자유분방한 아내의 모습이 그다지 마음에 들지 않았었다. 늦둥이로 태어나 나이 차이가 많이 나고 무서운 형들 속에서 조심스럽게 살아온 나였다. 하지만, 곧 난생 처음 들어보는 '오빠, 오빠' 소리와 겉모습과 달리 귀엽고 친근하게 달려드는 아내의 유혹을 이겨내지 못했다. 하지만 웬걸... 보이는 것이 전부는 아니었다. 아내는 남성스러운 외모와 달리 음식도 잘하고 식물도 잘 가꾸고 인테리어나 디자인에도 일가견이 있다. 무엇보다도 남편에 대한 깊은 신뢰를 가지고 있음을 나는 느낄 수 있다.

'치즈 인 더 트랩 Cheese in the trap' 이라는 드라마를 참 재미있게 보았다. 내가 좋아하는 김고은 배우가 출연한 드라마이다. 달콤하지만 치명적인 유혹을 뜻하는 '치즈 인 더 트랩' 처럼 나는 달콤한 치즈를 위해 트랩으로 기꺼이 뛰어들었다. 트랩이 먼저 보였고 무서웠지만, 살아가면서 느껴보니 그 안에는 달콤한 치즈가 가득하다는 것을 알게 되었다. 그리고 그 트랩은 결국 나를 보호하는 아내와 나의 행복한 집이었다는 사실을 지금은 알 수 있다. 지금도 나는 물들어가는 가을처럼 자꾸만 아내의 달콤함에 젖어 들고 있다.

꿈, 당연하지 않은 것들

꿈이 찾아왔습니다.
그동안 내게 당연했던 것들이
한 순간에 당연하지 않게 되는 꿈이었습니다.

직장을 잃었습니다.
그냥 통보를 받았습니다.
사직서를 냈고 나는 돌아설 수밖에 없었습니다.

억울했습니다.
왜? 나만? 내가 뭘 잘못했지? 고용 노동부에 민원을 넣어야 하나?
그런다고 해결이 될까?
오만가지 생각이 떠올랐습니다

믿을 수가 없었습니다.

어제 까지만 해도 아무 일도 일어나지 않았는데
오늘은 어제와 다른 날이 되었습니다.

불안했습니다.
갑자기 닥친 재앙에 가장 먼저 떠오른 것은 가족이었습니다.
앞으로 어떡할지 낭떠러지에 서 있는 기분이었습니다.

걱정이 되었습니다.
아직 졸업을 하지 않은 아이들과
항상 나를 믿어주던 아내의 눈이 떠올랐습니다.

공포스러웠습니다.
앞으로 무엇을 하고 살아야 할지
나는 다시 일어설 수 있을 것 같지 않았습니다.

눈물이 났습니다.
그 동안 찾지 않았던 하나님께
잘못했다고 용서해달라고 손이 발이 닳도록 빌고 싶은
마음이었습니다.

잠을 깼습니다.

무언가 뜨거운 것이 볼을 타고 흐르는 느낌에
나는 현실로 돌아왔습니다.

감사했습니다.
이 모든 것이 꿈이라는 사실에.
그리고 내가 당연하게 여겼던 모든 것들에 감사한 마음이
들었습니다.

오늘은 어제보다
더 열심히 살 수 있을 것 같습니다.

꿈은 과거를 떠올리게 하기도 하고
다가올 미래를 미리 보여주기도 하고
때론 내가 잊고 있던 현실을 깨우쳐 주기도 합니다

오늘 저에게 온 꿈은
당연함을 당연하지 않게
내가 사는 오늘을 감사하게
살아갈 힘을 주고자 한 것 같습니다.

운명 같은 글쓰기

오랫동안 망설였다. 초등학교 시절부터 지금까지 글쓰기를 해서 상을 받은 적도 없거니와 누구에게 잘 쓴다고 칭찬을 받은 적도 없다. 그래서 새삼 글쓰기를 배우는 것은 구름 속 나는 새를 바라보는 것 마냥 엄두가 나지 않았다. 그나마 마지막으로 기억이 나는 것은 대학 시절 첫사랑에 대한 애틋한 마음을 누구에게도 표현할 수 없어 일기장에 끄적였던 것이 전부였던 것이다.

그것은 우연한 일이었다. 지인 중 누군가 '인스타에 올린 사진들 참 잘 찍었던데… 소질이 있는 것 같아!' 라는 말이 시작이었다. 무언가 새로운 것을 배우고 싶다는 마음이 들어 집에서 가까운 충남대학교 평생교육원을 찾게 되었다. 원래 마음은 사진을 듣고 싶었는데 마감이 되어 당황한 나의 눈에 들어온 것은 캘리그라피 과정이었다. 등록을 하고 두근거리는 마음으로 첫 수업에 들어갔다. 선생님께서 다짜고짜 '수업을 하려면 준비물이 필요합니다.'라고 하며, 붓, 먹물, 화선지 등 한 보따리의 수업 도구를 안겨주었다. 첫 수업의 경험은 정말 난감했다. 2시간 내내 가로줄과 세로줄만을 연습했다. 수업은 지루했고 손과 옷은 더러워졌고 당장이라도 그만 두고 싶은 마음이었다.

나는 성격이 급한 편이어서 결심도 빠르고 포기도 빠르다. 수업은 취소했고, 좀 억울한 마음이 들었지만 이미 한번 써버린 수업도구들은 당근에 반값에 팔아버렸다. 결국 다른 무언가 대체할 수업을 찾아야 했다. 그러나, 사진 수업의 커리큘럼을 보니 이번에는 10여만원이 아니라 300만원짜리 카메라를 사야 할 것 같았다. 남들은 모두 전문가처럼 망원렌즈를 낀 카메라를 들고 있는데 핸드폰 카메라로 사진을 찍는 내 모습이 상상이 되었다. 그 즉시, 포기하고 가장 비용 효율적인 수업이 뭘까 고민하다 글쓰기 수업을 선택한 것이다.

처음엔 너무 어색했다. 문을 열고 들어선 교실에는 눈처럼 하얀 드레스를 입은 분이 수업준비를 하고 계셨다. '안녕하세요'라고 건네는 목소리는 마치 연극 대본을 읽는 듯 얇고 부드러웠다. 수업 시간이 다가오자 하나둘씩 수강생들이 들어왔다. 정장 차림, 희끗희끗한 머리, 굵게 패인 이마, 얼굴에 가득 담은 미소와 여유… 한눈에 봐도 오랜 경륜이 묻어나 보이는 모습인 분들이 많았다.

누님들의 나이는 가늠할 수는 없으나 아무리 봐도 내가 가장 어린 듯하였다. '잘못 들어왔나?'라는 생각이 스쳤고 어떻게 할까 망설여졌다.

그러나, 곧 나는 빠져들었다. 수업의 주제는 '나는 OO다'라는 글쓰기였다. 수강생들은 너무나 진지했고 나 또한 진지해질 수밖에 없었다. 연필을 쥐고 하얀 종이 위를 바라보면서 자연스럽게 머리를 쥐어뜯는다. '무엇을 쓸까?' 고민이 들었다. 워낙 낙천적인 성격이라 과거를 돌아본 적은 거의 없는 것 같다. 과거는 쉽게 잊고 지금 현재 그리고 다가올 미래를 생각하는 것이 익숙한 나다. 두껍게 감겨져 오랫동안 찾아보지 않은 흑백 필름이 파노라마처럼 이어졌다.

신기했다. 나의 흑백 필름은 완전히 감겨져 그 끝, 아니 나의 시작에 이르렀다. 내가 할 수만 있다면 가장 고치고 싶었던 그 날. 내가 태어난 날이다. 나의 어머니가 작은 방에서 아이를 낳고 큰 방에서 남편을 잃은 날이다. 나에게는 생각하면 고통스러운 날이다. 그 날의 기억을 글로 쓰고 발표하는 순간. 가슴 속 깊은 곳에 쌓여 있던 감정이 울컥 솟아오른다. 그 순간 놀라운 경험을 하게 되었다. 나의 이야기를 듣던 선생님과 수강생들이 함께 눈물을 흘려준다. 때론 아프고 부끄러운 과거였기에 잘 꺼내지 않은 이야기인데,

꺼내 놓고 누군가의 공감을 받는 순간, 아팠던 마음이 치유가 되는 기분이 들었다.

글쓰기는 운명이다. 네 번째 글쓰기 수업을 듣고 있다. 그동안 많은 수강생들이 바뀌었다. 그때 그때 다른 분위기 속에 다른 삶의 이야기들을 들었다. 마치 여러 색의 영화를 본 기분이었다. 그들의 영화 속에는 아픔, 슬픔, 기쁨과 즐거움이 있었다. 그들의 빛은 나의 삶을 비추는 길잡이가 되었고, 나 또한 내 마음 속 깊은 곳에 숨겨진 이야기들을 하나하나 꺼내어 놓았다. 그리고 그것은 책이 되었다. 나의 이야기가 책으로 기록되고 지인들에게 전해지는 순간 감추고 싶었던 나의 과거는 이제는 행복한 추억으로 변했다. 그리고 이제 글쓰기는 나의 운명이 되어가고 있다.

배달희

세종시 시골 작은마을에서 소띠로 태어나 62년을 소처럼 묵묵히 살며 주경야독으로 쉴 틈 없는 시간을 보냈습니다. 이제야 비로소 그 멍에를 벗어 던지며 시골 농장에서 텃밭을 가꾸고 글쓰기로 걸어온 길을 돌아보면서 치유와 위로의 시간을 보내고 있습니다.

아버지와 지게

옥상에서

우리 집에도 크리스마스를 맞이하려고 한다

구름포로 가는 길

인디안 감자와 통일벼

일상은 배려를 먹고, 사랑을 나눈다

잡초들의 삶

아버지와 지게

요즘은 자주 볼 수 없는 지게가 며칠 전 TV 프로그램 중 '김영철의 동네 한바퀴' 세종 편에서 나왔다. 지게 장인이 소개된 것이다. 그분의 집안도 가난해서 못 배우고, 배가 고파서 지게를 만들어 팔아 생계를 유지하면서 삼대를 지게 장인으로 이어 온다고 소개했다. 장인의 주름진 얼굴을 보니 30여 년 전에 돌아가신 아버지가 생각나 울컥해지며 가슴이 아려 왔다.

지게를 보면 아버지가 생각난다. 아버지의 등에는 장에 갈 때도, 들에 갈 때도 항상 지게가 매달려 있었다. 새벽 네 시면 일어나서 소 죽을 끓이고, 아침 식사 전에 지게를 지고 논에 가신다. 우리 논밭은 왜 그리 먼 곳에 있을까! 산을 넘어 30분은 가야 한다. 내가 아침식사를 하고 학교 가는 길에서 지게에 무겁게 한 짐을 지고 오시는 아버지를 만나곤 했다. 지게에는 주로 소에게 먹일 풀이고 가끔은 논밭에서 수확한 곡물들이었다.

아버지는 국가가 국민의 생명을 지켜주지 못하는 나라 없던 일제 강점기에 태어나셔서 스물 살 무렵에 일본으로 징용에 끌려가서 4년여를 탄광에서 일하고 간신히 살아오셨다. 4년 동안 몇 번인지는 모르지만 휴가를 얻어 집에 왔다가 다시 돌아가기 싫어서 도망도 가 보았지만 모두가 허사였 단다. 많은 죽음의 그늘에서 벗어나 광복을 맞아 간신히 일본 시모노세키에서 돌아오는 마지막 배를 타실 수 있었던 건 그나마 행운이었다. 그러나 현해탄을 건너 무사히 살아 돌아오신 아버지에겐 또 다른 역사의 소용돌이가 기다리고 있었다. 귀국 후 5년 뒤에 북괴의 남침으로 시작된 한국전쟁은 아버지에게 피할 수 없는 멍에를 가져다주었다. 고향 집 근처에 금강이 있는데 그 금강 둑을 쌓는 작업에 강제동원 되셨다. 북한 공산당의 총칼 아래 어쩔 수 없이 굴복해야만 했던 강제 노역이었다.

한국전쟁사에서 이곳에 보면 1950년 7월13일부터 16일까지 벌어진 전투가 지금의 세종시 지역 금강을 건너오는 북한군을 맞아 미군 제24사단이 벌인 대평리-공주전투다. 여기서 미군과 큰 전쟁을 벌이다가 공산당의 승리로 끝나면서 우리 집도 그들의 통제 하에 들어갔고 아버지를 소위 말하는 부역자로 만들고 말았다. 이때도 유일한 운반 수단인 지게는 필수품이었 단다. 잠시 몇 개월

동안 벌어진 이 일은 아버지의 오랜 부끄러운 행동으로 기록되고, 1980년 연좌제가 해제될 때까지 숨기고 살아야만 했다. 입을 열면 어떤 일이 벌어질지 모르기에 언제나 입조심을 해야 했고 그 덕분에 말수가 적으셨던 아버지는 입을 여는 일이 더 줄어 드셨다. 숨기며 살아야 했기에 아버지의 말수는 더더욱 없어지신 것이다.

연좌제의 무서움은 그동안 소설이나 영화, 드라마 등을 통해 잘 알려져 있었지만 우리 집이 그 억울하고도 불행한 장본인이 될지는 그때는 몰랐다. 수시로 감시와 공직에는 배제되었고, 이러한 불이익은 대를 이어졌었다. 그러나 정작 아버지가 그 대상이었다는 사실은 연좌제가 해제되고, 내가 연구소를 입사하면서 신원조회를 할 때까지 알 수 없는 우리 집안의 비밀이었던 것이다. 그 오랜 세월 아버지는 지게로 인해 육체적 고통은 물론 정신적 고통을 감내하면서 사셨을 것이다. 그래서 내가 신원조회 받은 사실은 그 후에도 오래도록 아버지께는 비밀로 간직했었다.

워낙 말수가 적은 아버지와 같은 하늘 아래에서 30여년을 살았으면서도 아기자기한 추억은 없다. 그러나 그때가 초등학교 4학년 때로 기억한다. 항상 무거운 짐과 그 당시는 몰랐지만 말없이 비밀을 짊어지고 있던 아버지가 안타까워 나도 지게를 만들어 달라고 졸랐다. 너는 너무 어려서 안 된다고 하셨지만 떼쓰는 나의 고집을 꺾지 못하고 마지못해 고장 난 본인의 지게를 고치고, 다리를 잘라서 나의 키 높이에 맞는 조그만 전용 지게를 만들어 주셨다. 그때부터 나도 아버지를 따라 지게꾼이 되었다. 나의 지게에도 아버지처럼 봄부터 가을까지는 주로 소 먹일 풀이, 겨울철에는 나뭇가지, 솔잎, 장작 등이 실렸었다.

한번은 겨울에 장작으로 사용할 나무를 베어 지게에 싣고 내려오다가 너무 힘들고 미끄러워서 쉬었다 가려고 지게를 내렸다. 보통 쉴 때는 다시 어깨에 지고 쉽게 일어나기 위해 평지보다는 약간 경사진 곳에 지게를 내려놓고 작대기를 바쳐 세우게 된다. 그런데 지치고 미끄럽기도 해서 지게가 앞으로 고꾸라지듯 넘어지면서 실려 있던 나무가 데굴데굴 저 밑으로 굴러갔다. 내려가 잡을 힘도 없고 속상한 마음을 가눌 길이 없어 한참을 바라보다가 그 자리에 널브러져서 눈물을 흘리고 말았다. 간신히 마음을 다잡고 다시 내려가 주어서 지게에 짊어지고 내려오는 길은 정말로 힘든 시간이었다. 그런 저런 사건 사고를 겪으며 지게꾼으로서의 삶도 고등학교 입학을 위해 도시로 유학을 가면서 잦아들었다. 어린 시절 지게꾼의 생활은 힘든 추억이었지만, 아버지를 조금이나마 도울 수 있어서 좋았고, 동네 사람들의 칭찬도 듣기 좋았었다. 그러다 보니 나는 몸도 마음도 튼튼이가 되면서 어른으로 성장해 갔다.

그러나 오랜 세월 아버지가 지게의 무거움을 내려놓으셨을 때는 위에 생긴 암 덩어리가 고단한 세월의 대가로 일구어 놓은 튼튼하던 근육과 살을 다 파먹어 피골이 상접할 정도의 앙상한 모습이 되어서야 가능했다. 그 후 지게는 우리 형제들의 차지가 되었다. 그렇게 무거운 지게는 대물림을 해가며 다음 세대로 이어 갈 것이다. 다만 앞으로의 세대는 그 무게가 조금 가벼워지 기를 바라며, 아버지도 하늘나라에서는 지게를 지고 계시지 않기를 간절히 소망해 본다.

옥상에서

따뜻한 가을 햇볕이 들어오는 사무실 창가에 앉아 창밖을 본다. 청명한 하늘에 조각구름 하나가 외로이 떠 있다. 바로 앞 건물 옥상에는 태양광 패널이 설치되어 있다. 햇빛에 힘 이어 열심히 전기를 생산하고 있을 것이다. 흡연자를 위한 것인지 직원들의 휴식을 위한 배려인지는 몰라도 나무 벤치가 길게 나란히 여러 개 정돈되어 놓여 있다.

잠시 공상에 잠긴 사이에 젊은 남자가 올라와 무슨 고민이 있는지 서성이고 있다. 베이지색 상의에 검정 바지를 입고 있다. 키는 그리 크지 않다. 하늘을 올려다보다가 담배에 불을 붙여 연기를 길게 뱉아 내고 있다. 분명 무엇인가 잘 풀리지 않은 문제를 안고 올라와 담배 연기와 함께 날려 버리고 해결책을 찾아내고 가겠지! 아니 그의 고민이 그렇게 해결되었으면 좋겠다.

그가 내려간 옥상을 보다가 주위 산에 있는 나무가 눈에 들어왔다. 소나무는 언제나 푸르다. 단풍이 든 활엽수는 반쯤 떨어져 낙엽으로 돌아갔는지 앙상한 가지만 남은 것도 있어 쓸쓸함을 불러온다. 낙엽이 되어 돌아가지 않으면 한겨울 추위에 강제 퇴출되고 말 것임을 아는 나무는 자연의 순리를 따르고 있다. 우리네 인생도 젊을 때는 가족과 자식과 함께 행복을 꿈꾸며 살려고 희생을 하면서 산다. 그러다가 말라서 비틀어지는 낙엽처럼 꼬부라진 허리가 될 때까지 최선을 다해 살다가 힘없이 사라지는 모습이 그들과 닮았다. 자기를 희생하고 한줌의 흙으로 돌아가려는 지 하나 둘 단풍으로 물들이다가 낙엽이 되어가는 잎들을 보면서 나의 모습을 본다.

인생의 나이로 치면 이제 장년을 지나 중년에 이르러 노년의 문턱에 왔으니 계절로 치면 가을이요, 단풍의 모습일 것이다. 이쯤 생각하니 후배들에게 양보하고 점점 잊혀 가는 이름 없는 낙엽이 되지 않고 빨갛게 노랗게 갖가지 색깔과 모양으로 오래도록 그들의 기억에 남기 위해 마지막까지 발버둥치는 내 모습에서 동질감을 느낀다.

생각이 거기쯤 왔을 때 다른 젊은이가 올라와 핸드폰을 보면서 담배 연기를 만들어 내고 있다. 저 젊은이는 엄청 바쁘게 사는 거보다. 담배 한 대 피는 동안에도 핸드폰을 들고 누군가와 대화를 한다. 나도 젊을 때는 무엇인가 모르지만 열심히 앞만 보며 살았다. 그래야 경쟁자를 이길 수 있다고 착각하면서. 이런저런 목표를 두고 봄을 지나 한여름 폭풍, 비바람에 시달리면서 살아남아 가을을 맞이해 열매를 맺고 이제는 겨울을 맞이하는 단풍의 숙명을 생각해 본다. 아름다운 모습으로 물들이고 자연에 조화로운 갤러리를 만들려면 봄, 여름의 수많은 역경을 겪으면서도 안간힘을 다해 나무에 붙어 있어야 가능함을 알지 않는가?

이번에는 젊은 여성이 올라왔다. 전화기를 들고 허공에 대고 손짓 발짓을 하면서 열심히 통화하다가, 이번에는 카톡을 하는지 손가락을 빠르게 움직여 문자를 전송하고 있다. 학교에서 돌아온 아들에게 보내는지, 직장에 간 남편에게 보내는지 알 수는 없지만 한바탕의 비밀 대화를 하고는 사라진다.

그러고 보니 옥상은 우리네 인생 터 같구나. 삶에 희로애락이 있고 청, 장년의 푸름이 있고 중년과 노년의 단풍과 낙엽이 있으니! 새로운 젊은이들이 왔다가 다시 고민의 담배 연기를 날리고 내려간다. 이렇게 삶은 매일 매일 한 회 한 회를 연장해 가는 일일드라마 같다. 나도 잠시 멈추었던 실험데이터 분석과 보고서 작성을 마무리하러 자리에 앉는다.

우리 집에도 크리스마스를 맞이하려고 한다

크리스마스트리와 사랑의 열매가 거실 내에 장식된다. 창가에는 'MERRY CHRISTMA' 휘장도 달렸다. 식탁에는 예쁜 초와 찻잔 세트가 놓이고 딸아이 부부를 맞을 선물로 맛있는 음식이 준비될 것이다. 지인들로부터 오는 카톡 문자에는 성탄을 축하하는 메시지가 따라온다. 종교관의 차이로 형제 간에도 메시지 내용에서 약간의 미묘한 감정이 섞여 있다. 그러나 모두가 사랑하라는 성인의 가르침을 따르며 살아야 한다는 의미의 차이는 없는 것 같다.

밖에는 며칠 전부터 눈이 와서 많은 이가 그리는 화이트 크리스마스를 맞이하게 된 것 같다. 창가에 앉아 도로를 오가는 차들을 보며 커피 잔을 기울인다. 많은 차들이 다리에 아름다움을 더하며 서로의 갈 길을 달리고 있다. 저들은 왜 저리도 바쁘게 오가는 것일까? 무엇을 하러 가는 걸까? 나는 또 왜 이리 청승맞게

홀로 앉아 이런 생각을 할까?

어떤 이는 백화점으로 가족들에게 선물을 준비하러 가겠지! 어떤 이는 축하의 선물을 사서 평소의 감사함을 전하러 가고, 어떤 이는 여행을 가고, 어떤 이는 함께할 친지들과 나눌 음식을 장만하러 가는 사람도 있을 것이다. 아내도 내일 올 딸 부부와 우리 가족이 나눌 음식을 준비하러 갔다. 물론 지인과 카페에서 뒷담화를 하는 재미와 대리만족을 할 자랑거리를 찾아 늘어놓다가 올지도 모른다.

성인들이 진리로 삼고 살아야 할 가치로 제시하는 '사랑과 자비'는 어떤 것일까? 빈손으로 왔다가 빈손으로 간다고 하면서 왜 인간은 무엇인가를 이루려 할까? 우리는 왜 살까? 그냥 산다. 토끼가 왜 사냐 고, 거북이가 왜 사냐 고 스스로 묻지 않는 단다. 그냥 살아 있어 살 뿐이다. 그런데 왜 우리 사회는 복잡하게 서로를 시기하고, 질투하고, 부러워하고 욕심에 영혼을 팔며 자기만 잘 사는 듯 상대를 비판하고 끌어내리려 할까? 그러면 자기 본인은 무엇을 얻을 수 있을까? 종교의 영역과 진리의 영역을 깨우치기 위한 우리의 질문은 수천 년을 내려오지만 그 답은 모든 사람이 다르게 쓰고 간다. 잠시 두서없는 잡념에 싸여 구름 속을 헤맨다.

나는 그동안 무슨 답을 쓰면서 살아왔는가? 뒤돌아본다. 최종 답안은 무엇일까? 이성적으로는 교육과 경험을 통해 얻은 지식을 통해 생각과 고상한 단어로 문장을 정리하려 해도 정답을 찾을 수가 없다. 남을 해치지 않고 남에게 피해를 주지 말며 조금이라도 다른 이에게 도움이 되었으면 하면서 살았다고 스스로 생각한다. 그렇지만 그것 또한 욕심이 되어 남의 것을 가로채기 위해 나와 비교하면서 더 많은 것을 차지하려고 그들을 아프게 했을지도 모른다.

나는 나이가 들어가면서 참선, 명상을 통해 본성을 찾으려 한다. 지극히 평범한 사람으로 돌아간다. 고향으로 돌아간다. 내 영혼과 꿈이 그 속에 있어서 찾아 간다. 그래서 나는 오늘도 나의 평화를 찾으러 간다. 그러면 내 마음에도 성인의 가르침과 깨달음이 찾아오리라 기대하면서 커피의 향기를 따라가 본다.

구름포로 가는 길

한 달에 한 두 번씩 태안화력발전소로 출장을 간다. 발전소 굴뚝에서 나오는 이산화탄소를 포집하는 실험자의 일환으로 흡수제 성능실험에 참가하고 있기 때문이다. 어제 도착해서 오후 네 시부터 밤 열두시에 끝나는 오후 조에서 실험을 마쳤기 때문에 오늘 오후 네 시까지는 자유시간을 가질 수 있다.

8시에 기상해 샤워를 하고, 아침식사로 쌀국수를 먹고, 후식으로 참외를 먹었다. 좀 더 쉬려는 게으름도 묻어 있었으나 몸은 가볍다. 초저녁부터 졸려서 일찍 잠들던 내가 밤 열두시를 훨씬 넘기고 나서야 잠자리에 들었으니 피곤할 만도 한데 의외로 컨디션이 좋았다. 최근에 혀와 입술에 구강 작열증후군으로 약을 먹고 있어서 좋아하던 반주 습관도 버려서 그런지 머리도 맑다.

오후 네 시까지 무엇을 할까 생각하다가 어제 실험시간에 짬을 내어 인터넷으로 찾은 태안 근처 가 볼 만한 곳 중 하나로 선택된 구름포 해수욕장으로 향했다. 가는 길이 해변 근처 산길이라 꼬불꼬불 롤러코스트를 타는 기분으로 차가 달린다. 다른 차들도 별도 없어서 혼자서 기분 내키는 대로 달렸다. 오랜만의 자유시간이다. 밤 늦게까지 수고한 덕분에 깊은 잠을 잤고, 대부분의 사람들이 근무하는 낮시간에 홀로 여유를 즐길 수 있으니 자유의 느낌이 새롭다. 나 혼자만 누리는 호사 같아 좋았다.

가는 길가에 노란색 꽃들이 만발해 있다. 나는 노란색의 밝고 따뜻한 느낌이 좋다. 전국에 노란 꽃들만 있는 듯이 가는 곳마다 피었다. 노란색 꽃들을 보면서 얼마 전 서거 14주기를 맞은 노무현 전 대통령 후보 시절 전국을 물들인 노란 풍선이 생각났다. 당시 노무현 대통령 후보가 저만치 앞서가던 이회창 후보를 누르고 대통령으로 당선되리라는 것을 나는 상상도 하지 못했다. 그의 패기와 신념에 찬 연설에 많은 풍선이 모아져서 마침내 큰 사건을 이루고 말았었다. 그때 노란색 풍선 물결은 평화의 상징처럼 그 이후 그의 탄핵 때도 보였고, 광화문 촛불시위 때도 보였다. 세월호 참사 때는 그들의 희생을 애도하기 위한 리본으로 다시 태어났었다. 나약하기만 하게 보이는 노란색이 민초들이 모인 풀뿌리 민주주의, 참여하는 민주주의의 상징적인 색으로 각인되어 갔다. 반면에 그

색깔을 싫어하는 정치적으로 반대편에 선 물결도 생겨났다. 내가 좋아하는 노란 색깔이 정치적인 이유로 싫어하는 사람들을 만들어내는 아집보다는 타협과 토론하는 평화의 상징으로 남아 있기를 기대해 본다.

이런저런 생각을 하는데 이름 그대로 인지 이슬비가 와서 그런지 안개 속에서 구름포가 다가오고 있었다. 이곳은 지금은 흔적도 없지만 2007년 기름 유출사고가 발생한 지역으로 우리 국민의 단합된 힘으로 전 세계에 대한민국의 또 하나의 기적을 보여준 곳이기도 하다. 의항해수욕장을 지나면서부터 이젠 비포장 길로 내비게이션은 안내를 한다. 가는 길도 차 한 대 겨우 갈수 있는 길이다. 산불 진압을 위해 닦아 놓은 소방도로 같았다. 해안가에 도착해 보니 근처에 야영 텐트 하나만 덩그러니 있다. 그러나 사람은 보이지 않았다. 아무도 없는 무인도에 나만 있는 것 같았다.

해안가로 몇 미터를 걸어가 보니 일반 해수욕장의 상징인 너른 모래밭은 없고 자갈밭이다. 파도에 밀려 구석까지 온 쓰레기 시체만 즐비하다. 다음 달부터는 해수욕장이 성수기를 맞이하면 이 쓰레기만이 아니라 또 다른 사람무리가 쓰레기 더미를 만들러 몰려올 텐데 아직도 관리 담당자는 청소를 미루고 있었다. 이 쓰레기는 누가 어떻게 처리하는 것이 옳을까? 쓰레기를 연소해서 발전하는 연구를 하면서 그 발전소에서 나오는 이산화탄소를 포집하는 실험을 하는 나는 또 무어야? 하는 의문이 든다. 돌고 도는 인생사에 답이 없다. 돌고 도는 물질의 변화를 보면서 우리 인간은 대단한 수고를 하는 것 같은 착각 속에서 살아가고 있는 게 아닐까?

"쏴 싸르르르 푸, 스스스 철썩"

파도가 소리 내며 부서진다. 텐트 치고 야영하는 가족인지 어린아이와 엄마 아빠가 아직은 차가운 바닷가를 거닐며 까르르 웃으며, 행복한 추억을 모래밭에 쌓고 있다. 갈매기 끼룩거리며 날고 파도 소리 들으며 저 멀리 일터를 향해 파도를 가르는 배를 보면서 나도 일상을 향해 돌아갈 시간임을 깨닫는다.

구름포란 지명이 어떻게 생겨났는지 유래는 모르지만 자욱한 안개비로 구름처럼 감싸고 있다. 바닷가를 보려고 오던 중년 남자도 이내 발길을 돌린다. 지난 삶에 대한 회한과 현실을 살아가는 무게를 느끼며 나도 발길을 돌린다. 오늘은 인간이 편리하게 쓰도록 만들어 내는 전기의 대가로 쓰레기 취급을 받는 이산화탄소를 포집하는 실험에 충실해야 한다. 그래서 지구의 온난화를 가속시키는 속도를 조금이라도 늦추는 일에 기여하고자 노력하고 있다. 최소한 뜬구름 잡는 삶으로 마감하는 일은 없기를 소원하면서 나의 자리로 돌아간다.

인디안 감자와 통일벼

가을비 우산 속, 낙엽 진 가로수 길, 젊은 날 나를 두고 가버린 임 생각에 우산 속에도 이슬 맺힌다. 우울하고 쓸쓸한 비 오는 가을 날씨는 마음도 몸도 겨울의 추위를 먼저 생각하며 긴장하게 한다. 늦가을은 무엇인가 저장하고, 준비해야 할 것 같고, 따뜻함을 느낄 수 있는 온기가 필요한 시기다.

가방을 둘러매고 텃밭으로 향한다. 추위를 대비한 월동 준비를 해야 할 것 같아서다. 무엇을 해야 할 것인지도 생각이 나질 않는다. 요즘 밤낮의 리듬을 잃은 현장 실험에 참여하다 보니 머리가 맑지 않다. 생각도 흐리고 날씨도 흐리다. 밭에 도착하니 지난봄에 심어 놓은 인디안 감자 덩굴이 삶아진 시래기처럼 숨이 푹 죽었다. 김장 무우며 배추도 떨고 있다. 아니! 날씨가 추워진다고는 했으나 벌써 서리가 내릴 거라 고는 미처 생각 지 못했다. 지난주까지 한낮에는 덥다고 느낄 정도의 날씨가 지속되다가 갑자기 추워질 거라 고는 생각 지 못했을 뿐만 아니라 바쁘다는 핑계로 서리에 대한 대비를 미처 하지 못했다.

급한 마음 추스르고 감자 덩굴을 낮으로 제거하고 호미로 땅을 파나간다. 이거 뭐야? 땅콩처럼, 줄줄이 소시지처럼 생긴 감자가 긴 줄에 매달려 나온다. 한참을 신나게 캐 나간 것 같은데 반골도 캐지 못하고 허리를 펴야 했다. 뒤를 돌아보니 정말 엄청 났다. 허풍을 보태면 1개 심어서 백 개씩은 달려 나오는 것 같다. 캐 놓은 감자가 고랑을 메우고 있다. 흐뭇함에 나도 모르게 웃음을 흘리고 말았다.

허리를 펴고 하늘을 보았다. 맑은 뭉개 구름 하나 떠 있다. 돌아가신 아버지와 50여 년 전 통일벼를 처음 수확할 때 느꼈던 짜릿한 순간이 떠오르면서 오랜만에 구름 위에서 아버지를 보았다. 그때 우리 가족과 온 동네 사람들은 탈곡기를 이용해서 가마니에 담기 전까지는 모두가 걱정이었다. 우선 잘 자라던 벼가 갑자기 벼멸구 침입에 폭탄 맞은 전쟁터처럼 군데군데 빈 곳이 생기더니, 수확을 하려고 벼를 벨 때는 가을 찬바람에 우수수 낙엽 지듯 떨어지는 볏 알들, 가을비 맞은 쓰러진 볏단으로 올라오는 새싹들, 그전에 심었던 벼와는 영 달라서 수십 년 농사의 달인도 수확량을 가늠할 수 없기에 많은 가족의 끼니와 여름내 빌려 먹은 쌀 값을 걱정만이 쌓여 가고 있었다.

그런데 막상 탈곡이 시작 되고서는 어안이 벙벙했다. 전년도 수확량 기준을 예상해서 준비한 가마니가 부족했다. 남은 벼 담을 재고 가마니가 없어서 곡식 창고에 쏟아 붓고, 다시 가마니를 탈곡장으로 배달해야 하는 상황이 저녁 늦게까지 지속되었다. 몸은 고되고 힘들었지만 아버지와 나와 가족의 입가에 번져오는 웃음을 참을 수가 없었다. 흐뭇한 미소로 늦은 저녁 밥상을 대하고 앉아 계시던 그때 아버지의 모습을 떠올리면 모든 배고팠던 어린 시절의 시름을 내려놓을 수 있다. 요즘 말로 대박이었다. 그렇게 많이 길바닥에 떨어뜨리고도 이삭줍기를 포기했었고, 그러고도 전년도 수확량의 2배를 건졌음은 물론 이 사건으로 온 나라가 배고픔의 서러움을 한방에 날려버린 역사적 순간이었다. 그 이후 집집마다 농주 단속에 시달리던 두려움에서도 벗어날 수 있었다. 고된 농사꾼에게 농주 한 사발은 농사의 고됨을 잠시나마 잊게 해주던 낙이다. 그 낙을 찾게 해준 단어 8도 쌀 막걸리도 그 이후 탄생했고, 보릿고개란 단어도 유행가 가사로만 듣게 되었다. 그러한 많은 서러움, 추억, 기쁨을 이 우울한 가을에 또 한꺼번에 느끼고 생각하게 한 인디안 감자에 감사하고 싶다. 그 덤으로 33년 전에 돌아가신 아버지도 만날 수 있게 해 준 것도 감사에 보탠다.

일상은 배려를 먹고, 사랑을 나눈다

"내일부터 삼일동안 태안화력발전소에 출장 갑니다"

아내에게 보고하고 일찍 들어가 침대에 눕는다. 태안에 8시까지 도착하려면 새벽바람을 맞으며 달려야 하기 때문에 평소보다 일찍 잠을 청하기로 했다. 저녁에 손님과 식사를 하면서 반주로 소주 한잔한 기운도 느끼며 숙취를 지우기 위해서는 깊은 휴식이 필요할 것 같다는 생각도 함께 하면서 잠을 불러 안는다.

내가 맞춰 놓은 다섯 시 삼십 분 알람이 울리기도 전에 아내가 언제 가냐 고 깨운다. 출장 가는 것조차 잊고 잠을 잘 정도로 깊은 잠을 잤나 보다. 다섯 시 십분이다. 자리에서 일어나 양치를 하고 세수를 하고 옷도 갈아입었다. 그동안 아내는 내가 차 안에서 먹을 과일과 커피와 떡을 준비해 주었다. 참 고맙다. 젊을 때는 당연한 것처럼 느끼던 일상도 나이 들며 가족에게 대우를 받는다는 것이 무엇보다 더욱 고맙고 감사하다. 사랑도 전해지는 것 같다. 감사한 마음과 정성이 담긴 도시락을 들고, 가방을 메고 집을 나서며 잘 다녀오겠다는 인사를 하고 집을 나왔다. 오늘 아침이 활기차고 싱그럽게 느껴진다. 저절로 미소가 입가로 올라오고 안전 운전도 해야 한다는 다짐도 해 본다. 그동안 인정받고자 했던 욕심이 많이도 있었다는 어리석음도 깨닫는다. 범사에 감사하자.

떡과 커피를 마시며 두 시간이 넘게 달려 발전소에 도착해서 동료 실험자에게 인사를 하고 내가 위치해야 할 자리에 와서 앉는다. 다행히 오늘은 큰 문제가 없이 잘 운전되고 있다고 한다. 설비에 문제가 없으면 자동으로 데이터가 저장되고 기록되니까 크게 할 일은 없다. 그저 화면에 나타나는 정보를 모니터링하고 가끔 기계에서 알려오는 숫자나 이상 신호에 대응해 주면 된다.

통상적으로 TV에서 보이는 연구실처럼 흰 가운을 입고, 연구노트에 정리하고, 실린더로 계량하고, 혼합하는 과학자의 모습은 없다. 연구실에서 공정연구를 거쳐 발전소에서 실증실험을 하는 장치는 거대한 플랜트가 가동되고 그야말로 실제 생산 공장처럼 자동화되어 움직이기 때문에 헬멧, 장갑, 안전화 등 개인 보호구를 챙기고 설비 고장에 대비하여 각종 부품과 설비 수리를 위한 공구를 챙겨야 한다. 데이터 기록은 DCS로 보여지고, 기록되기 때문에 별도의 연구노트에 적을 일은 과거 매뉴얼에

의존하던 때와는 다르게 그리 많지 않다.

현장실험을 용역 받은 회사 대표와 많은 이야기를 나누었다. 그도 나처럼 살아온 세월이 60년이 넘었으니 다양한 경험과 지식을 가지고 있다. 다만 내가 가지지 못한 바다낚시, 민물 견지낚시, 프로급 탁구, 캠핑 등을 즐기며 산다고 한다. 작고 가냘픈 견지 낚싯대를 만들어준 장인의 이야기, 그 낚싯대로 큰물고기를 낚아 올리는 실전의 동영상을 보면서 노년의 취미, 삶 등을 이야기하다가 현실의 업무로 돌아온다. 돌아온 현실의 현장은 사람의 문제와 현장조건의 문제가 겹치는 해결책이 모호한 토론을 하면서 결국 문제의 원인이 나보다는 다른 사람에게서 온다고 진단하고 그를 탓하게 되는 악순환이 되고 말았다. 그러면 문제는 내가 보는 관점에서 타인을 보고 내 스타일로 만들려고 하는 못 된 앞선 경험자로서 습관일 뿐이라는 결론인 것이다. 그런데도 왜 그 어리석음을 반복해서 저지르고 후회하는 걸까?

일과를 마치고 예약한 숙소에 도착했다. 공동으로 같은 구조로 건축해서 모텔로 분양해 운영하는 곳이고 오래된 건물이다. 주인은 나에게 아버지 엄마뻘 되는 두 노인이 병마와 싸우며 운영하고 있었다. 카드결제를 하려고 했더니 나에게 카드결제기를 주면서 직접 하라고 한다. 최근에 수술한 아내와 병든 남편은 글씨를 알아볼 수 없다고 한다. 숙박비를 지불하고 열쇠를 받아 방으로 들어간다.

오래됨 특유의 냄새가 난다. 노인 냄새라고 통칭되는 그런 냄새이다. 모든 동물과 사람에게 서는 고유의 체취가 난다. 그런데 많은 사람이 이 냄새를 싫어한다. 사랑하는 사람에게서 나는 냄새는 좋고, 그렇지 않을 때는 참고 사는 것이다. 요즘 우리 가족도 나에게서 노인 냄새가 난다고 싫어한다. 그러니 다른 사람은 오죽할까? 나를 좋아하지도 않으면서 만나서 그 냄새를 맡으며 일을 하고 대화를 해야 하는 그 사람들은 무슨 죄일까? 오래도록 함께하면서 모르는 척 참으면서 나를 상대해 주고, 같이 대화하고, 배려해 주는 동료들, 주변 사람과 친구에게 미안하고, 새삼 고맙다.

숙소 근처의 학암포해수욕장을 거닐며, 일과시간에 나눈 다른 사람의 뒷담화를 하게 된 찝찝함의 묵은 때를 씻어 본다. 바다 쪽에서 불어오는 바람이 시원하다. 자연에 들어가면 모든 욕심이 사라지는 것 같다. 모래밭에는 게들이 파 놓은 굴들이 있었다. 어느 놈들은 지금도 열심히 생존을 위해 사투를 벌이며, 모래를 작은 구슬처럼 뭉쳐서 굴 밖으로 던지고 있다. 이때 호기심이 발동해서 그냥 지나치질 못 하고 사고를 친다. 나뭇가지로 그가 일구어 놓은 하루일과를 망치며 굴을 파고 들어간다. 조금 있으니까 파 헤쳐 놓은 모래 속에서 걸음아 날 살려라 도망가는 게를 따라가 잡아 본다. 왼쪽은 큰 집게발, 오른쪽은 작은 집게발을 가진 놈이다. 잡고 있는 내 손을 물어서라도 도망치려는 집게발 놀림이 분주하다. 그 모습이 하루하루를 살기위해 발버둥 치며 현장을 누비는 나의 일과를 닮은 것 같다. 안쓰러움에 이내 놓아주니 금방 파 놓은 모래 구덩이로 들어간다. 죽을 뻔한 생명을 건졌으니 오래도록 안전한 삶을 살아가기를 바라며 또다시 가던 길을 간다.

같이 이산화탄소 포집 실험에 참여하는 7인의 노동자가 연말까지 묵을 숙소(달 방)를 월별 계약하기로 합의가 되어 근처 숙소에 대한 사전조사를 했다. 위치, 내부시설, 주변시설, 가격을 조사해서 후보지를 단톡 방에 올렸다. 장단점이 토론되고 나면 그 중에 한곳을 결정해서 사용한 날짜별로 정산할 예정이다. 저녁때가 되어 짜장면을 배달해 와서 먹고는 피곤했는지 아니면 늙음에 의한 초저녁잠인지 모르겠지만 스르르 감기는 눈꺼풀을 닫으며 잠자리를 찾는다. 오늘도 무사히 긴 하루가 지나가고 있음에 감사하고 나에게 먹을 것을, 잠잘 곳을, 일자리를 나누어 준 내가 믿는 신에게 감사하면서 정성과 사랑을 나누는 행복한 꿈의 세계로 간다.

잡초들의 삶

큰딸 부부가 온다고 아내는 새벽부터 그들에게 줄 반찬을 하느라 분주하게 주방을 드나든다. 그 바쁜 와중에도 나에게 아침밥도 준비해 준다. 마법의 손, 초능력이다. 최근 공복이 되면 속이 쓰리고 혀와 입술 주변이 찌릿 찌릿한 증상이 계속된다. 이런저런 염려때문에 누룽지로 부드러운 아침을 준비해 준다. 배려가 고맙다. 점심식사 할 때쯤 올 거라던 딸이 저녁때 온다고 다시 알림 톡이 왔다.

그럼 나는 나의 놀이터가 있는 곳으로 가기로 한다. 그냥 가기가 미안해서 창고 방을 정리하고, 진공청소기로 거실과 방에 먼지를 빨아내고 집을 나섰다. 아침부터 오던 비가 계속 오고 있다. 밭에 도착해서 작업복으로 갈아입고 우의도 챙겨 입었다. 농막 주변의 잡초를 낫으로 제거했다. 낫이 지날 때마다 쓰러지는 잡초를 보면서 못 된 폭력배를 때려눕히는 쾌감을 느낀다. 비닐하우스 주변에 들깨와 경쟁하는 잡초를 뽑다가 민들레를 보고는 잡념이 들어와 망설이게 된다. 뽑을까 말까 망설이다가 이내 잡초 라는 단어에 생각이 잡혀 버렸다.

'잡초는 나쁜 것' 이라고 누가 규정했나? 언제는 잡초가 되고 언제는 약초가 되는가? 다만 그것은 민들레라고 이름 지어진 식물일 뿐인데 인간이 필요한 욕심에 따라 결정을 달리하는 것이다. 천덕꾸러기처럼 보이는 민들레도 그 꽃을 보며 감동하는 이가 있고, 그 씨앗의 비행하는 모습을 보면서 우주를 꿈꾸는 동심도 있다. 언제부터 인가 당뇨에 좋다고 전용식당이 등장했고, 즙으로도 판매가 되었다. 그런 그들을 지금은 잡초라고 취급해야 하는 순간에 직면한 것이다. 인간에게 유리하면 식용으로, 건강식품으로 귀하게 대접받지만 불리하면 가차 없이 잡초로 분류하고 짓밟는다.

우리네 인생도 가끔 이런 취급을 당하며 살 때가 있다. 자기가 필요한 경우는 대우해 주다가 경쟁자 취급하며 귀찮아지면 잡초처럼 제거하고 싶은 대상으로 전락한다. 가끔 누군가에게 오래도록 귀하게 쓰임을 받도록 노력해야 한다는 것이 슬플 때가 있다.

잡초의 상념에서 벗어나 현실로 돌아왔다. 옥수수, 참외, 수박, 가지, 토마토에 비료를 주고, 줄을 매어 쓰러지지 않게 지지를 해

주었다. 이들에게는 잡초가 아니 라서 귀한 대접을 하고 있는 중이다. 오늘 내일 비가 온다고 하니 밭 한구석에서 자라는 파를 보면서 파전을 생각한다. 잘 자라고 있는 파 한 묶음을 뽑아 다듬고, 양파 두 개도 뽑아 바구니에 채워간다.

누룽지를 끓여 점심식사를 하면서 하염없이 오는 비를 바라본다. 나의 첫 수필집에 등장하는 그리운 친구가 웃으며 지나간다. 그는 나에게 연구소 입사를 알선해주고 형처럼 돌봐 주었던 친구지만 십 수 년 전부터 하늘에서 살고 있다. 그에게 글로 써나마 미안함과 그리움을 표현하고 나니 자연스럽게 그를 웃으며 맞을 수 있는 것 같다.

계속되는 빗줄기에 영농일지를 접고 다듬어 놓은 파와 양파를 싣고 집으로 돌아온다. 맛있는 파전을 딸아이와 같이 올 미래의 손자와 같이 먹을 것을 생각하면서 입가로 미소가 올라오는 것을 느낀다.

안가숙

인생에서 가장 즐거운 일은 학교 가는 길이었습니다. 평교사와 교감을 거쳐 지금은 교장으로 재직 중입니다. 오래 걸어왔던 길의 도착점을 눈 앞에 두고 있는 요즘, 잘 해왔다고 그동안 많은 노력과 헌신을 해왔다고 스스로에게 박수를 보내고 싶습니다. 그 마음을 차곡차곡 글로 담아 보려고 합니다.

바로 지금 여기

산수유 꽃

고향 팽나무

자전거 탄 풍경

홍시

바로 지금 여기

산다는 것은
하루 해가 뜨고 지는 것처럼 지극히 평범한 것이다.
마음속에 작은 종이배를 띄우며
날마다 일상 기도를 올리고 하루를 시작한다.

때로는 힘들고
때로는 즐겁고
때로는 우울하고
때로는 지치고……
그럴 때마다
옛 기억을 떠올리며
그때의 아스라한 추억에 잠겨본다.
어릴 적 순수했던 동심의 세계로 돌아가본다.

철없이 뛰어놀았던 언덕들과
언제나 맑고 깨끗했던 푸른 하늘
크게 들이쉬면 가슴 가득 담겨오던 달콤한 바람
그리고 엄마와 함께했던 다정한 추억들 ……
그것들이 넘어진 나를 일으켜주고 지탱해 주는 원동력이다.

예전으로 되돌아갈 순 없기에
여전히 그리워할 수밖에 없지만
지금 이 순간,
생각과 글을 통해
내 마음속에 선명히 남아있는 추억들이 되살아나고 있다.
그때를 떠올리는 것만으로도 나는 이미 행복해지고 있다.

해 질 녘 어스름처럼
어느덧 황혼을 바라보며 준비해야 할 시간.
나는 이제
무엇을 향해 어느 곳으로 가야 할까?
어떤 생각을 하면서 하루하루를 살아가야 하는 걸까?
뚜렷한 답도, 들려오는 메아리도 없지만
다시 계절이 오면 지금 이 모습은 아니겠지.
또 다른 나의 모습으로 살아가고 있겠지.

now & here
다시 지금 여기로 돌아와
오늘을 즐기면서 살아가 보자
그렇게 주어진 하루에 충실하면서 말이다.

산수유 꽃

산 아래 산수유 나무마다
환하게 등불들이 켜졌다
바람이 불 때마다
고운 노오란 빛들이 파도처럼 흔들린다

가까이 다가가
숨 죽여 조심스레 들여다보면
아기 별 처럼 작은 꽃송이들이
가지마다 오종종 매달려있다

매 마른 가지를 뚫고 나와서는
이렇듯 온 세상을
노랗게 물들이고 있다
겨우 내 얼어붙은 내 마음을

따스하게 환한 봄 빛으로

물들이고 있다

가지 마다 내 걸린

고 조그만 먼지만한 잎들이

고향 팽나무

나 태어나고 자란
고향 마을 어귀에
까마득한 옛날부터 있었다는
오래된 팽나무 한 그루 서 있다

몇 사람이 모여
손에 손을 잡고 빙 둘러서야
겨우 휘감을 수 있는
커다란 팽나무는
마을 사람들의 기도처가 되어 준
신령스런 나무였지만
우리에겐 신나는 놀이터였다

그 굵고 듬직한 나무 둥치에서

사시사철 숨바꼭질로
시간 가는 줄 몰랐고
열매 익을 땐
너도나도 매달려 따먹기도 하다가
낙엽 떨어져 쌓이면
소복히 깔아 놓고 이불처럼 덮고 놀았다

때로는 다람쥐처럼
나무 위로 올라가
하늘 향해 맘껏 소리도 치며 놀았던
내 유년의 놀이터 팽나무

어느 덧 세월이 흘러
수없이 많은 일들을 겪고 보냈지만
내 고향 어귀에 듬직하게 서 있던
팽나무 아래에서 놀던 그때가 마냥 그립다

다시 그 나무에 올라가
소리칠 수 있다면
한 번만
단 한 번 만이라도 할 수만 있다면

어머니와 아버지를 만나게 해 달라고

하늘 향해 소리치고 싶다.

그 넓은 품에 기대어

해 지는 지도 모르고 놀기만 하던

어릴 적 그 시절로 돌아가

그리운 부모님을 떠올리며

목 놓아 울고 싶다

자전거 탄 풍경

가을 햇살이 따사롭기만 하다. 마치 엄마품처럼 따뜻한 솜이불처럼 말이다. 나뭇잎 사이로 내리쬐는 햇살은 넓은 들판의 곡식들을, 사람들의 마음을 살찌우게 한다. 등 뒤로, 어깨 위로 쏟아지는 햇살들을 가로지르며 갈 바람을 맞이해 본다. 정녕 어렸을 때 느껴보는 바람과 햇살은 아닐지언정 마음속에 스며드는 깊이는 어딘가 비슷하게 여겨진다. 아주 오래된 낡은 기억을 거슬러 올라 과거로 회귀해 본다. 거친 물살을 가르는 연어의 회귀 본능처럼 말이다.

어릴 적 시골집 재산이라 해봤자 아버지의 오래된 낡은 자전거 한 대뿐, 어린 마음에도 여유롭지 않았음을 직감이라도 하듯 아버지가 아끼는 굉장히 소중한 보물이라 여겨졌다. 아무것도 모르는 나를 아버지는 낡은 자전거 뒤 의자에 태우고 너른 들녘을 다니곤 했다. 시원한 갈 바람을 느끼며 아버지의 커다란 등 뒤로 가려진 나의 존재는 미약하리만큼 작은 존재였다. 하지만 아버지의 따뜻한 큰 사랑과 마음으로 나를 지켜주고 올바르게 성장시킨 바람막이가 되었던 것 같다. 한번은 아버지께서 자전거를 잡아 줄테니 직접 타보라는 말씀에 화들짝 놀랐다. 의기소침한 나에게는 커다란 충격이었을 만큼 큰 부담이었다.

아버지는 이런 내 마음도 모른 체 연습을 계속해서 꼭 자전거 타는 것을 배우라는 말씀만 하셨다. 그 결의에 찬 의지에 나는 못하겠다는 말을 차마 할 수 가 없었다. 어린 마음에도 바람에 흔들리는 갈대처럼 떨리긴 했지만 '그래 한번 해보는 거야' 하면서 도전해 보았다. 중심을 잡지 못하고, 넘어지고 또 넘어졌다. 한 순갈에 배부를 수 없지만, 그날부터 아버지의 수행과제는 매일 진행되었다. 뒷자리가 아닌 직접 안장에 앉아 자전거를 타라는 훈련과제를 내주셨다. 나도 넘어지고 자전거도 넘어지고, 내 무릎도 긁히고 낡은 자전거도 부서지고……. 무릎이 성할 날이 없었고 매번 피로 범벅이 되었지만 그럴 때마다 아버지는 다독거려 주시며 열심히 도전하는 나를 격려해 주셨다. 긁힌 상처 부위에 길가 옆 쑥을 뜯어 짓이겨 덧대주면서 '괜찮아, 조금만 더 연습하면 잘 탈 수 있을거야' 하시며 용기를 주셨다.

그렇게 며칠을 지난 후 난 기적처럼 아버지의 도움 없이도 나

스스로 자전거를 탈 수 있었다. '아. 드디어 내가 해냈구나,' 그때 내 인생 중 처음으로 맛본 성취감을 지금도 잊지 못하고 있다. 그런 뿌듯함을 느끼며 성장할 수 있도록 아버지는 내내 나를 지켜봐 주셨다. 그 덕분에 나는 좀 더 나은 사람으로 커 갈 수 있었고 스스로 할 수 있다는 자신감을 가질 수 있었다. 늘 우리를 인정하고 격려해 주시고, 도전할 수 있는 믿음을 심어 주셨기에, 삶의 어려운 과정들을 다 이겨내고 이 자리에 우뚝 서 사람을 길러내는 기관의 수장으로 자리매김하며 살아가고 있다. 믿음으로 지켜봐 주신 아버지에 대한 고마움이 오늘의 나를 만들었다.

셀 수 없는 많은 날들이 지나고 이제 세월 따라 자전거의 바퀴를 수만 번 돌려가며 아버지의 가르침대로 퇴근 후 갑천과 유등천을 누비며 자전거 하이킹을 하고 있다. 내 인생에 큰 기쁨이고 위로가 되는 그 시간은 아버지가 주신 최고의 유산이고 선물이다. 힘들고 어려운 순간을 만났을 때, 내가 좋아하는 '에어 써플라이'나 '스팅'의 곡들을 들으며 자전거를 탄다. 그럴 때면 그 어떤 어려움도 괴로움도 바람결에 다 날아가 버린다. 들꽃 화사한 여름이나 단풍 물드는 가을날엔 그 재미가 더해진다.

'카르페 디엠!' 이제는 나이도 들고 주름도 늘어 가지만, 황혼 녘 노을을 바라보며 마음을 다잡는다. 오늘도 퇴근 후 가을 공기를 가르며 자전거 길을 달려 보련다. 페달을 밟으며 아버지의 가르침을 되새기며, 하늘나라에서 엷은 미소를 띠며 막내 딸을 지켜보고 계실 아버지를 그리며 힘차게 나가 보련다. 어둠 속을 환하게 비춰 주실 아버지의 사랑 길 따라서…….

홍시

나에게는 시골의 정서가 깊게 뿌리 박혀 있다. 어릴 적 태어나고 자란 곳이 시골이었기에 내 몸 안에 자연스레 배어든 것이리라. 구수한 된장국, 냄새가 강한 청국장, 달달한 고구마, 빠알갛게 익은 홍시들. 이런 시골 음식들이 힘들 때면 더 간절히 그리워지곤 한다. 그 시절에는 먹거리나 간식거리가 많지 않은 배고픔의 시절이었다. 자연에서 얻어진 간식거리 외에는 특별히 먹을 게 없었던 시절이었다. 궁핍하고도 빈곤했던 시절. 나와 동시대를 살았던 사람들은 공감할 만한 그때 그 시절의 이야기다.

얼마 전 일주일 피로에 지친 금요일 오후 퇴근 무렵, 친정 올케가 보내 준 택배 박스를 받았다. 우리 부부가 제일 좋아하는 빠알간 홍시 감 박스였다. 가을을 대표하는 간식으로 달콤하고 말랑한 감 만한 게 있을까. 부모님께서 살아 계실 때 텃밭 주변에 심어 놓은 감나무들이 이젠 자식들의 가을 간식거리가 되었다.

하늘나라로 떠나 가신지 오랜 세월이 지났지만 우리들은 부모님의 따뜻한 사랑을 느끼며 부모님을 회상하며 퇴근 후 달달함을 맛보며 하루의 피로를 푸는 일상이 되어버렸다. 특히 공통분모가 별로 없는 우리 부부는 홍시를 먹을 때 만큼은 한마음이 되어 옛 향수를 회상하며 감을 먹곤 한다.

베란다에 나란히 진열된 홍시들은 일렬 소대로 말랑말랑한 거는 앞 열에, 단단하고 덜 익은 것은 뒷열에 정리를 한다. 마치 군인들의 열병식처럼 말이다. 우리들의 선택만을 기다리는 홍시들은 마치 순번을 기다리기라도 하듯이 저마다 얼굴을 붉히듯 빨개지려고 노력하는 모습들이다. 잘 익은 홍시부터 우리는 하나 둘씩 점검 후 입안으로 끌어들인다. 달콤함과 부드러움, 건강함의 극치이다. 아울러 부모님을 떠올리며 감사함을 마음 가득 가지며 든든하게 허기진 배를 채우면서 말이다. 감나무를 심어 놓으셨기에 우리가 이런 호사를 누리고 있다는 걸, 쓸쓸한 가을의 분위기가 홍시 덕분에 갑자기 달콤하고도 행복한 시간으로 바뀌게 된다는 걸 부모님들은 알고 계실까? 아버지와 어머니의 기억을 끌어내며 홍시 맛을 느끼는 순간만큼은 모든 걱정 근심이 사라지는 행복한 시간들이다.

세월이 흐르고 시간은 지나쳐 이 순간에 머물고 싶지만 다가오는 겨울을 맞이해야 되겠지? 내 인생의 계절, 가을이 아닌 겨울을 즐거운 마음으로 받아들여야 되겠지? 그런 게 우리네 인생살이 흐름이 아니겠는가? 오늘도 맛있게 먹어보자. 달콤한 홍시 감 한 개. 그리고 이 가을 저녁 조용히 들려오는 한 곡의 옛날 노래는 부모님의 따뜻한 사랑이 온몸을 에워싸고 나를 다듬이질한다.

정영이

40년간 일기를 써오고 있습니다. 인생이 담긴 40권의 일기장을 고이 품에 안고 손녀딸 돌봄을 위해 서울을 떠나 왔습니다. 대전에 와서 충남대 평생교육원을 만났고 함께 글을 쓰고 나누는 소중한 시간을 보내고 있습니다. 내 삶을 글로 펴내고 싶다는 오랜 염원을 실천해 가며 일기를 넘어 산문집을 만들겠다는 꿈을 키워 보려고 합니다.

성당 가는 길

한가위

두리야, 산책 가자

사랑에 한 번 빠지고 싶어요

강남으로 이민 간 제비

건강검진 하는 날

성당 가는 길, 두 번째 이야기

썩은 명품사과

내 이름은 두리

내 삶의 스토리텔링

사총사 모임

성당 가는 길

내가 다니는 성당은 주택가 한복판에 있다. 걸어서 30분 거리 아파트 단지를 나와 대로 옆 황톳길을 들어서자, 꽃무릇 꽃들이 활짝 웃으며 초가을이 왔음을 알린다. 잠깐 꽃무릇과 눈인사를 나누자, 가을의 문턱을 지나가는 나의 발걸음이 가벼워진다.

황톳길을 지나고 나면 유흥업소가 밀집해 있는 상가 앞 인도를 걷게 된다. 팔다리에 문신한 젊은 남성들이 인도를 가로막고 담배를 피우며, 지나가는 사람은 아랑곳하지도 않는다. 천식 환자인 나는 심호흡을 가다듬고 코를 막으며 재빠르게 그곳을 빠져나간다. 오전 10시경 이곳을 지날 때는 젊은이들과 자주 맞닥뜨리게 되어 신경이 많이 쓰인다.

어느 날, 젊은 남녀 세 명이 헤어지기 아쉬운 건지 길을 가로막고 큰 소리로 떠들어 댄다. 내가 그들 사이를 빠져나가려는 찰나 한 남성이 벽을 보고 돌아서더니 벽에 손을 짚고는 노상 방뇨를 위해 지퍼를 내렸다. 나는 못 본 채 얼른 그곳을 빠져나갔다.
젊은 여성 한 명은 잠옷 바람으로 내 앞을 지나 식당으로 들어가다가 식당 문을 밀친 채 돌아서서 나의 발등 앞에다 담배꽁초를 휙 던져 버리고는 태연하게 식당 안으로 들어가 버린다. 순간 그 여성의 뒷모습을 바라보며 어떤 삶을 살고 있을지 상상해 보며 발걸음을 옮겼다.

성당에서 이들을 향해 기도한다. 잡초 속에서 혹은 진흙탕 속에서 빠져나오려고 노력하는 젊은이들도 있겠지만, 잘못된 길을 향해 빠져드는 젊은이들이 있다면 하루빨리 미래를 향해 나아가길 바랐다.

집으로 돌아오는 길, 황톳길로 들어서서 잠깐 벤치에 앉아 눈을 감으니 내 남편의 젊은 시절이 떠올랐다. 온갖 잡새들과 어울려 진흙탕 속에 빠져 청춘을 다 보낸 남편은 그곳이 어떤 곳인지도 모른 채 헤어나질 못했고, 그런 남편을 끌어내느라 고생했던 나의 젊은 시절의 삶도 뒤돌아보게 된다. 눈을 뜨고 가을 하늘을 향해 두 팔을 뻗어본다. 꽃무릇 꽃들이 나의 마음을 쓰다듬으며 위로해 준다.

한가위

곡식을 잘 여물게 해줘서 감사하는 의미로 조상들에게 차례를 지내는 한가위. 시집살이를 하는 나에게는 중노동을 하는 날이었다.

남편의 형제자매는 7형제로, 한가위에 자식들이 오겠다는 연락이 오면 시어머님은 많은 음식거리를 벌려 놓으셨다. 차례상에 올릴 음식과 자식들에게 나누어 줄 음식까지, 각가지 음식거리가 나의 손을 거쳐 음식으로 거듭나기까지 나의 중노동은 형제들이 마지막으로 다녀가는 그날까지 이어졌다.

23년간 해마다 명절과 기제사 음식을 해왔지만, 남편은 부엌에 단 한 번도 들어와 본 적이 없는 사람이었다. 시부모님은 명절에 자식들이 다들 다녀가도 며느리인 나에게는 친정에 다녀오라는 말을 단 한 번도 한 적이 없었다. 오히려 시집간 딸이 점심 때 올 테니 점심 준비하라는 말만 하셨다. 그러면 남편은 '누나가 언제

오려나' 현관에 얼굴을 내밀고 누나 오기만을 기다리곤 했다.

45년 전 아버지 지인인, 남편의 외삼촌 소개로 중매결혼을 하게 되었다. 남편의 집안에서는 우리 집안 사정을 속속들이 다 알고 있었으나, 반대로 친정 부모님은 남편의 집안에 대해 전혀 몰랐었다. 결혼하면 따로 살림을 내줄 거라 말을 들었었는데, 막상 결혼을 하고 보니 그리 해줄 만큼 사정이 녹록하지 않았고, 지금의 반찬가게 같은 부식가게를 하고 있었다. 그때부터 일 많은 시집살이가 시작되었다.

나의 부모님은 자식들이 많았던 그 시절, 딸만 둘을 두셨다. 부산에 살고 계셨던 부모님은 딸 둘 결혼시키고 시골 고향으로 이사를 가셨다. 명절만 되면 친정아버지는 이제나저제나 큰딸이 손녀딸들 데리고 오기를, 마을입구 정자나무 아래서 막차 버스가 지나갈 때까지 이 못난 딸이 오기만을 기다렸다고 한다. 작은 딸네는 사위 직업상 머나먼 강원도에서 살고 있었기에, 나의 부모님은 명절에 자식들 얼굴 보는 것이 하늘의 별따기였다. 마을 이장을 오랫동안 하셨던 아버지는 딸들의 어린시절 동네 아이들의 놀이터서 동심으로 돌아가 딱지치기, 제기차기, 땅따먹기, 숨바꼭질을 하는 아이들과 같이 놀아주고, 심판도 해주며, 행복했던 딸들의 어린 시절을 떠올리며, 손녀딸들에게도 할아버지와의 행복했던 추억을 만들어 주고 싶었을 것이다.

칠순이 다 되어가는 나에게 한가위란? 세월이 흘러 시어머님과의 관계를 떠올리게 하는 한가위다. 딸들이 결혼을 하고 손주들이 태어나면서, 명절에 오게 될 딸내 가족들을 생각하며 명절음식과 손주들이 좋아하는 음식들을 준비한다. 할머니 음식을 맛있어 하며 맛있게 먹어줄 손주들을 생각하며, 중노동까지는 아니겠지만 정성을 다해 명절 음식을 하게 된다.

그 당시 시어머님도 지금 나의 마음과 같았으리라 생각해 본다. 내게 며느리가 있었더라면 나의 힘들었던 시집살이를 떠올리며 며느리 눈치를 많이 봤을 거 같아, 며느리가 없는 것이 오히려 마음이 가볍고 편안하다는 생각도 하게 되는 한가위다.

두리야, 산책 가자

9년 전, 우리 가족 품 안으로 다가온 반려 견, 두리. 두리에게는 우리 부부가 엄마나 아빠가 아닌 할매 할배로 통한다. 두리는 집안에서는 볼일을 안 본다. 하루에 두 번, 아침에는 할배랑 산책을 하고, 오후에는 할배, 할매랑 같이 산책을 한다. 두리가 오기 전에 우리 부부는 같이 산책한 기억이 거의 없다. 두리가 우리 부부에게는 소통의 길을 열어주는 품 안의 자식이 되었다.

어느 날, 남편은 외출하고 집에 없었기에, 나 혼자 두리를 데리고 산책을 나갔다. 황톳길로 들어서자, 두리가 아홉 시간 만에 시원하게 볼일을 본다. 한 시간 정도 산책을 하고 있으니 하얀 털옷으로 온몸을 감싼 두리가 많이 덥고 힘든 지, 나를 쳐다보며 쉬어 가자고 혓바닥을 내밀고 헉헉거린다.

황톳길 메타세콰이어 나무 아래 벤치에 두리를 안고 앉았다. 내

품에 안겨 있는 두리가 엄마의 품속처럼 포근하게 느껴진다. 눈을 감으니 풀벌레 소리가 엄마의 자장가로 다가온다. 엄마의 따뜻한 손길이 나의 가슴을 토닥인다. 평생 낮잠을 자본 기억이 없는 딸이 안쓰러워, 엄마는 잠깐이라도 눈을 붙여보라며 풀벌레 소리로 자장가를 불러준다.

문맹인이 많았던 시골 6,70년대 그 시절, 고등교육을 받으셨던 아버지는 마을 이장을 맡아 마을 안팎 모든 일을 도맡아 하시느라 집안일은 뒷전이었다. 딸이 중학생이던 그 당시 아이큐가 높다는 것을 알고는 학교 선생님들께 술대접까지 하였으나, 딸 교육에는 신경을 덜 쓰셨던 아버지.

나는 중학교를 졸업하고, 고등학교를 갈 수 없는 상황이었으나, 산업체 고등학교에 들어갈 수 있도록 이끌어 주신 중3 담임 최삼경 선생님께서 아버지 역할을 해 주셨다. 고등학생이 되어 교복을 입은 나를 보고, 학생증을 확인하시고, 꼬옥 안아 주시며 눈물을 보이셨던 선생님.

40대 중반까지는 스승의 날만 되면 선생님께 편지와 전화로 안부를 묻고, 감사의 인사를 전하곤 했는데, 서울 살이를 시작하면서 선생님과의 연락이 두절되었고, 이후 스승의 날만 되면 마음이 무거워진다.

당뇨합병증으로 고생하시다가 65세에 세상을 떠나신 아버지의 장례식날 시골 고향 집은 온 동네 마을 사람들과 친인척들로 집 앞마당 발 디딜 틈 하나 없었다. 아버지 입관식에 나는 관을 두드리며 큰딸한테 미안하다는 말 한마디라도 하고 가시라고 난동을 부리며 대성통곡을 하였다. 아버지는 가족들에게 사랑 대신 마음속 깊은 곳까지 많은 상처를 남기고 가셨기에 쌓였던 감정을 나도 모르게 표출하게 되었다. 그때 딸을 바라본 엄마의 심정은 어땠을까. 생계를 책임지느라 아버지 원망 한 번 제대로 못 해보고, 치매가 오기 전까지 평생 고생만 하시다가 저 세상으로 가신 엄마.

멀리 떨어져 살고 있는 딸에게 하루가 멀다 하고 먹을 반찬과 식자재들을 택배로 부쳐 주시곤 하셨는데, 나는 당연하듯 받아먹기만 하고, 딸로서 엄마에게 효도 한번 못 해드린 게 마음을 무겁게 한다. 칠십을 바라보며 늙어가는 내 모습에서 엄마의 모습을 그대로 닮아가는 딸의 삶을 보신다면 엄마의 마음은 또 얼마나 무거우실까. 마음이 무거워 먹먹해지면서 나 자신을 돌아보게 된다. 여전히 나는 낮잠을 잘 수 없는 사람인가 보다.

오토바이가 굉음을 내며 쏜살같이 지나가니 두리가 깜짝 놀라며 나의 손을 긁어 댄다. 나는 눈을 뜨고 두리를 쳐다보며 흐르는 눈물을 닦았다. 엄마 생각을 하면서 두리를 꼬옥 안아주고 나서야 다시 산책을 한다.

사랑에 한 번 빠지고 싶어요

'지금까지 살아오면서 나를 위해 무엇을 했나. 세월이 다 가기 전에, 내 모습 변하기 전에.' 이런 노랫말에 빠져 본 적 없는 나는 오뚝이다. 오뚝이에게는 평생 스승이자 생을 마감하는 그날까지 오뚝이의 곁을 지켜줄, 든든하고 영원한 친구 라디오가 있다. 라디오를 사랑하는 오뚝이는 TV와는 거리를 두는 편이다. 자기와 마주 앉아 친구하자고 하는 TV를 가까이하면 다른 일을 못 하기 때문이다.

낮잠을 자지 않는 오뚝이는 밤잠이라도 편안하게 자면 좋으련만, 무슨 걱정이 그리도 많은 지 밤잠 마저도 서서 잔다. 밤새 서서 자다 눈을 뜨자마자 라디오 곁으로 다가가 손을 내밀며 밤새 잘 잤는지 안부를 묻는다. 라디오는 오뚝이에게 밤새 있었던 많은 이야기를 자세히 알려준다. 미국 바이든 대통령은 자국민들을 위한 어떤 정책을 시행했는지, 이웃 국가들과는 어떤 소통을 하고 있는지, 그리고 푸틴은 왜 이웃나라를 도발해서 세계 경제 흐름에 악영향을 끼치면서 전쟁을 이끌고 있는지, 또한 서로 헐뜯기만 하는 우리나라 정치인들은 국민들을 위한 어떤 노력을 하고 있는지, 흉악범들은 어떤 삶을 살아왔기에 악인이 되었는지. 라디오는 때론 모든 일을 내려놓고 쉬어가라며 오뚝이가 공감할 수 있는 좋은 책들도 소개해준다.

오뚝이는 라디오와 사랑에 빠져 하루하루를 무의미하게 보낸 적이 거의 없는 것 같다. 라디오 말을 귀담아들으면서 취미생활인 그림도 그리고, 퀼트가방도 만들다 보면, 하루해가 짧다는 생각이 들 때도 있다.

라디오와 사랑에 빠진 오뚝이를 바라만 봤던 TV가 질투를 했던 것인지, 하루는 '도전 가요무대' 프로그램의 어떤 도전자 노래를 통해 "사랑에 한 번 빠지고 싶어요. 지금까지 살아오면서 나를 위해 무엇을 했나. 내 모습 변하기 전에 그대와 함께 밤을 지새우며 지난날을 잊고 싶어요."라는 가사로 오뚝이 심장을 두근거리게 했다. 누구의 노래인지, 어떤 가사인지 유튜브로 찾아 들어보았다. 결혼 후 45년간 오뚝이처럼 살아온 인생. 넘어지지 않으려고 꿋꿋하게 버티며 살아온 오뚝이의 삶을 되돌아보는 계기가 되었다.

어느 날 오후, 오뚝이는 두리와의 산책길에 남편과 함께 갑천으로 나섰다. 기후 변화로 영향을 받은 것인지, 갑천의 갈대들이 잎사귀도 많이 넘어져 부자연스럽게 버티고 서있는 모습이 오뚝이를 연상케 했다.

오뚝이는 하천에서 불어오는 바람을 들이마시고 호흡을 가다듬으며 "사랑에 한 번 빠지고 싶어요." 큰 소리로 노래를 불러본다. 노래와 함께 흐르는 눈물을 닦으며 주변을 돌아보니 남편은 저 멀리, 두리를 개 끌듯 끌면서 빠르게 걷고 있다.

칠십을 바라보는 오뚝이 인생. 다리에 힘이 빠질 때도 되었건만 왜 이렇게 버티고 서있는 걸까. 언젠가 오뚝이에게도 마음 편히 누워서 잘 수 있는 날이 올 것이다. 이승에서 편안하게 자 본 적 없는 오뚝이는, 훗날 천국에 계신 엄마를 찾아 엄마 품 안에서 편안하게 낮잠도 자게 될 그날을 위해, 앞으로 남은 인생도 알차고 보람차게 보낼 것을 스스로 다짐해본다.

강남으로 이민 간 제비

봄날 삼월 삼짇날이 되면 강남 갔던 제비가 우리나라로 날아온다. 따뜻한 봄날 제비들은 둥지를 틀고, 한두 마리가 아닌 대여섯 마리의 새끼들을 부화시키고, 최선을 다해 먹이를 물어다주며, 높은 곳 둥지에서 새끼들이 떨어질라 노심초사 지켜보면서 따뜻한 봄날을 보낸다. 바람이 서늘해지는 가을이 되면 제비 가족들은 강남으로 이주를 해간다.

나는 추운 겨울, 1월 달에 짝을 만나 결혼을 하게 되었고, 시댁어른들의 둥지에서 신혼생활이 시작하였다. 따뜻한 봄날 강남으로 갔던 제비가 우리나라로 돌아올 시기에 나의 배 속에는 큰 딸아이가 자라고 있었다. 나는 제비처럼 열심히 먹이를 물어다주며 최선을 다하는 어미 제비가 되리라 다짐에 다짐을 하면서 열 달을 보냈다. 그러나 어미 배 속에서 딸이 태어나던 그해 가을, 나는 이미 지칠 대로 지쳐 있었다. (암컷 제비는 수컷 제비를 잘못 만난 것일까?)

수컷 제비는 둥지에서 자라고 있는 새끼 제비들을 멀리한 채, 하늘을 나는 온갖 새들과 즐기며 청춘을 보내고 있었다. 나는 결혼과 동시에 임신을 하게 되었고 더불어 시집살이로 힘든 나날을 보내고 있었기에, 남편이 어떤 일에 몰입해서 청춘을 보내고 있는지 관심조차 둘 수 없는 하루하루를 보냈었다.

같은 둥지에서 생활하고 있는 부부이기에 결혼 3년 만에 두 딸의 엄마가 된 나는, 어린 시절 아들이 귀한 집안에 딸로 태어나 아버지 사랑에 대한 배고픔을 가슴에 품고 사춘기를 보냈기에, 내 딸들도 나처럼 자라게 될까 봐 마음 졸이며, 두 딸을 위해 시댁의 둥지를 탈출하기로 마음을 먹었다. 아들의 성향을 잘 알고 계셨던 시부모님은 며느리의 판단을 받아들이고, 버스 다니는 도로 가의 낡은 3층 상가건물을 사 주셨다. 이때부터 나는 모든 일을 스스로 판단하며 행동에 들어갔다. 친정 엄마와 여동생의 도움을 받아 노후 상가건물을 증축하고 리모델링을 하게 되었고, 남편은 이때부터 우리 건물에서 바닥재 인테리어 직영점을 하게 되었다.

80년대 중 후반 그 시절, 시골서 태어나고 자란 젊은 사람들은 도시에서 삶의 터전을 마련하느라 단칸방에 둥지를 틀고 열심히 직장생활을 하며 자식들을 뒷바라지하던 시기였다. 나는 남편이 새로운 모습으로 거듭나길 바라며, 떳떳한 남편으로, 자랑스러운 아빠로 자부심을 가질 수 있기를 바라는 마음으로, 아내로서 남편에게 든든한 버팀목이 되기 위해 노력했다.

남편은 자존감을 높이고 하루하루 새로운 직업에 적응해 나가기 위해 노력하는 모습을 보였으나, 그것도 잠깐이었고, 또다시 어두운 과거로 돌아가 진흙탕에 빠져들게 되었다. 귀가 얇은 남편에게 유혹의 손길을 뻗는 이가 늘어나고, 헤어나지 못하는 나날을 보내며 십 수 년이 흘렀다. 나는 두 딸이 상처받을까 봐 노심초사 걱정하면서 어두운 삶을 이어가다, 결국 남편과 상의도 없이 집을 팔고 23년간 살아온 부산을 떠나 강남으로 이민 간 제비가 되었다.

뉴스에서만 봐왔던 서울 강남 한복판 망망대해에 배를 띄우고, 둥지를 찾아 적응하기까지, 어미 제비는 새끼제비들에게 먹이를 물어다 주느라 힘든 나날을 보냈다. 수컷 제비도 가족들이 있었다는 것을 뒤늦게야 알게 되면서 50대 초반이었던 남편은 부산에서 제대로 하지 않았던 인테리어 사업을 서서히 시작하게 되었다.

남편에게 착한 인성이 잠재되어 있었다는 것을, 서울 살이를 하면서 알게 되었다. 강남 건물주들과 부동산에, 정직한 인테리어 사장이라는 소문이 나면서 인테리어 공사가 늘어났다. 신뢰감을 얻은 남편은 건물주들과 술자리도 종종 가지면서 자존감도 올라가는 계기가 되었다.

제비 가족들은 각자의 삶 속에서 열심히 먹이를 물어 나르며 노력한 결과, 서울살이 6년 만에 보금자리를 마련하게 되었고, 힘들었던 삶이 조금은 나아지면서 그제야 내 자신을 돌아볼 수 있게 되었다. 잡초처럼 살아온 험난한 세월이었기에 나의 내면에 외향적인 성향이 자리 잡고 있음을 알게 된 것도 삶이 바뀌어 가면서 알게 되었다.

나는 50대가 되면서 주변 지인들과 단체모임도 만들고, 취미생활도 하면서 마음 맞는 친구들을 만나 해외여행도 다니고, 등산도 자주 하면서 활기찬 나날을 보내고 있을 때, 딸 둘이 새로운 둥지를 찾아 떠남으로써, 나이가 들어가는 자신을 돌아보게 되었다.

강남 갔던 제비는 22년간의 서울 살이를 정리하고 삼월 삼짇날을 보내기 위해 큰딸이 어린 새끼 제비를 돌보고 있는 대전에서 제3의 둥지를 틀었다. 젊은 시절 가족들을 멀리하고 자기만의 인생을 즐기면서 살아온 수컷 제비는 일흔이 넘어서야 딸들에게 못해준 사랑의 손길을 손녀딸의 학교·학원 등하원을 도와주며 규칙적인 삶이 어떤 것인지를 조금씩 알아가는 모습을 보여주고 있다.

건강검진 하는 날

단풍이 곱게 물들어 가는 가을, 시월 마지막 날은 건강검진 하는 날이었다. 천식이 있는 나는 일주일 전부터 예민해졌다. '흡입기는 언제까지 사용해도 되는지, 가래약은 언제까지 복용해도 되는지?' 병원에 전화해서 상담 받고 나서야 마음이 좀 가벼워졌다.

건강검진 당일 아침 8시 종합병원에는 이미 많은 사람이 대기하고 있었다. 여태껏 건강검진은 기본만 해왔는데, 이번 검진은 딸이 엄마 나이도 있으니 추가검사도 해보라고 권하기에 갑상선 등 초음파 4가지를 추가하면서 검진 시간이 두 시간 반이나 걸렸다.

일반내시경 대기 중 긴장이 됐는지 나도 모르게 온몸이 굳어지며 힘이 들어갔다. 긴장을 풀어야 호스가 잘 들어간다고 하는데도 긴장이 쉽사리 풀리지 않았다. 순간 이틀 전 서울 친구들과 그 남편들까지 함께 함양·산천으로 단풍 구경 다녀온 게 떠올랐다.

마스크 안 나의 입꼬리가 자연스럽게 올라갔다.

10월 28일 토요일 오전 대전복합터미널에서 서울서 내려온 일행들을 5개월 만에 만났다. 나는 친구 남편한테 안아 달라 농담하며 인사를 나누고, 한바탕 웃고는 거창 y자형 출렁다리로 향했다.

가는 차 안에서 우리 일행들은 수탉을 공격하는 암탉으로 돌변했다. 젊은 시절부터 서로를 잘 알고 지냈기에 가는 내내 암탉은 수탉들을 쪼아댔다. 암탉들은 알을 품고서 병아리로 부화하기까지 노력하는 동안, 수탉들은 그저 자기들 위상을 높이기 위해 하늘 향해 높은 소리로 울어대는가 하면, 서로를 쪼아대며 존재감을 드러내는 일과를 보냈을 것이다. 그렇게 암탉들은 수탉들의 젊은 시절을 회상하며 끊임없이 쪼아대는 동안 수탉들은 진이 빠진 걸까 아무도 대꾸하지 않았다.

어느새 거창 우두산 중턱에 자리잡고 있는 y자형 출렁다리에 도착했다. 소머리를 닮았다는 우두산의 아름다운 산세와 빨갛게 물들어 가는 단풍에 우리 일행들은 병아리로 돌아가 삐약삐약 소리치며 기분 좋게 서로를 쪼아댔다. 출렁다리에서 기념사진을 찍고 하산 후 우리 일행은 거창 수승대로 향했다. 이곳은 근심을 잊을 만큼 아름다운 골짜기에 빼어난 계곡이 수승대로 전해져 내려왔으며 관광객들이 많이 찾는 명소로 이름 나 있는 곳이다.

나는 이미 30대에 수승대를 다녀왔었기에 그 당시 계곡물에 들어가 옷이 젖을 정도로 물장난을 치며 즐거운 시간을 함께한 지인들을 떠올리며 그들과 연락할 수 없음에 많이 아쉬웠다.

수승대 계곡서 추억을 가슴에 안고 기념사진을 찍고서 친구가 태어나고 자란 고향 산청으로 향했다. 산청 읍내 마트에서 저녁에 먹을 식재료를 사서 친구의 고향집에 도착하고 보니, 47년 전 친구가 고향 집 앞마당에서 전통 혼례를 올렸던 게 생각났다. 더불어 그 당시 나의 옷차림이 떠올랐다. 허리까지 내려오는 긴 생머리에 회색 빛 세무원단의 정장 투피스를 입고 주황색 롱 부츠를 신고 친구의 전통 혼례식에 참석했던 그 모습이 생생하다. 그리고 당시 계셨던 부모님들은 이미 다 하늘나라로 가셨기에 그리움에 잠깐 묵념을 했다. 공기 좋은 계곡 물소리를 들으며 삼겹살에 전통 막걸리 한잔을 나눴다. 잔을 부딪히며 서로에게 감사의 인사를 나누고 늦은 밤 잠자리에 들었다.

다음날 일요일 아침 일찍 해발 800m의 지리산 중턱에 자리 잡은 청학동 삼성궁으로 향했다. 늦게 출발하면 구경 못하고 되돌아올

확률이 높다는 친구의 말을 귀담아듣고 모두들 일찍 서둘렀다. 청학동으로 가는 내내 산골짝을 끼고 돌 때마다 붉게 물든 가을 단풍이 우리들의 마음을 설레게 했다. 오전 9시경 하동 청학동 삼성궁에 도착하자, 이미 많은 차들이 주차장에 절반 넘게 주차되어 있었다. 삼성궁은 민족의 성조인 환인, 환웅, 단군을 모신 궁이라는 뜻으로 지어졌고, 1,500여 개의 돌탑과 여러 종교적 의미를 담은 조형물들이 눈길을 끌었다. 정확한 역사의 기록이 없다는 것이 조금은 아쉬웠지만, 지리산 자락 단풍 속에서 우리들의 우정도 곱게 물들어 가는 것에 감사하는 마음을 가지게 됐다. 삼성궁을 다 돌아보고 나오는 통로에는 입맛을 돋우는 부침개와 전통 막걸리가 우리 일행들을 기다리고 있었다. 나는 이틀 후면 건강검진을 해야 하기에 막걸리 맛을 못 본 게 아쉬웠다.

지리산 자락 800m 높이에서 계곡을 끼고 돌고 돌아 내려오는 길에 곱게 물들어가는 단풍에 취한 건지 아니면 막걸리에 취한 건지 우리 일행들은 조용해졌다. 나는 또 다시 병아리로 돌아가 기분 좋게 친구들을 쪼아댔다.

친구들과의 1박2일동안 옛 추억도 떠올리며, 먼 훗날 회상할 수 있는 추억을 만들어 준 친구들에게 감사의 인사를 하는 동안, 건강검진은 2시간 반 만에 마음 가볍게 끝이 났다. 병원에서 챙겨주는 따뜻한 죽을 받아들고 배고픔도 잠깐 잊은 채 가을 하늘을 바라보며 기분 좋게 병원 건물을 나섰다.

성당 가는 길, 두 번째 이야기

성당으로 가는 길에 묵주를 챙겨서 집을 나섰다. 제주 사는 작은딸이 제주 용수성지에 순례 갔다가 퀴즈 문제를 맞히고 묵주를 선물로 받았다면서 지난 추석에 가져왔었다. 성 김대건 신부가 1845년 상해에서 사제서품을 받은 후 일행 13명과 함께 라파엘호를 타고 서해 바다로 귀국하는 길에 풍랑을 만나 제주용수리 포구에 표착한 곳이 용수성지가 되어 카톨릭 신자들이 성지 순례를 많이 가는 곳이다. 나는 제주 용수성지에 순례는 못 갔으나 그곳 성지에서 가져온 묵주로 기도하면서 가니 성당 가는 발걸음이 가벼웠다.

황톳길로 들어서자 가을 꽃들은 단풍 속으로 다 사라지고 푸른 나뭇잎들은 붉은색으로 곱게 물든 옷들을 갈아입고 나를 반겨준다. 나는 발걸음 가볍게 묵주기도를 하면서 낙엽을 밟으며 황톳길을 지나고 나니 어느새 유흥업소가 밀집해 있는 상가 앞 인도길에 들어서게 되었다. 이곳을 지날 때면 나의 발걸음은 무거워지고 버겁기까지 하는 곳이다. 상가 앞 인도에는 담배꽁초와 낙엽들이 술에 취한 것처럼 서로 뒤엉켜 가을 바람에 흔들거리며 중심을 못 잡고 뒹구는 게 길거리서 마주친 술 취한 젊은이들을 연상케 했다.

나는 순간 마음 편히 이 거리를 지나갈 수 있게 해달라며 더 열심히 묵주기도를 하면서 걷고 있었다. 나의 기도가 통한 것일까? 유흥업소에 둘러 쌓인 사거리 인도 길 그 어디에도 술 취한 젊은이는 단 한 명도 보이질 않았다.

나도 모르게 발걸음 멈추고 유흥가 주변들을 둘러보았다. 팔다리에 문신하고 인도를 가로막고서 담배를 피던 젊은 남성들은 이곳을 벗어나 새로운 삶을 찾아간 것인지? 젊은 남녀가 헤어지기 아쉬워하며 큰 소리로 떠들며 노상 방뇨하던 젊은이는 깨끗한 화장실을 찾아서 볼일보고 있는 건지? 잠옷바지 차림으로 식당 안으로 들어가며 나의 발등 앞에 담배꽁초를 휙 던져 버린 젊은 여성은 규칙적인 생활을 하는 삶을 살아가고 있는 건지?

모두들 각자의 삶 속에서 행복한 나날을 보낼 수 있기를 기도하면서 성당에 도착했다. 미사 중에 나와 마주쳤던 젊은이들이 행복을 누리며 정직한 청년으로 거듭날 수 있기를 가벼운 마음으로 기도하게 되었다.

집으로 돌아오는 길, 유흥업소가 많은 골목을 빠져나오니 술 취한 젊은이들이 없어서인지 담배꽁초와 낙엽들이 뒤엉켜 있었던 인도길은 어느새 깨끗한 주택가로 바뀌었고, 또 다른 골목으로 들어서자 중년 여성이 가게 앞을 쓸고 있었다. 나는 마음 가볍게 눈인사를 하고 발걸음 가볍게 길을 비켜주며 황톳길로 들어섰다.

곱게 물든 단풍잎들 사이로 들국화가 방긋이 웃으며 가을바람에 얼굴을 내민다. 반가움에 들국화 랑 눈인사를 하고 있으니, 내 또래 중년 여성이 맨발로 황톳길을 걸으며 지나간다. 나는 순간 내 친구를 생각하며 '순이야 같이 가자' 하고 마음속으로 친구 이름을 불러본다. 집으로 돌아오니 두리가 꼬리를 흔들며 반겨준다.
“두리야, 잘 있었어? 할배는?”

썩은 명품사과

냉장고 문을 열었더니 처음 맡아보는 냄새가 났다. 이게 어디서, 어떤 음식에서 나는 냄새일까? 냉장고 안을 샅샅이 살폈지만 쉽게 냄새의 정체를 찾을 수가 없는 게 신경 쓰였다. 냄새의 원인을 찾느라 야채박스를 열고 보니 썩은 명품사과가 내 코를 자극하며, 멋쩍은 듯 비닐로 온 몸통을 감싸고 있는 것이 보였다.

며칠 전, 두리와 산책하고 돌아오는 길에 노상에서 사람들에게 둘러싸여 있는 여러 상자에 사과들이 기품 있는 명품가방처럼 진열되어 있었다. 또 다른 박스 안에는 단호박만큼이나 큰 사과들이 비록 썩었지만, 명품임을 자랑하느라 당당하게 고객들의 눈길을 사로잡고 있었다. 사과를 팔고 있는 50대 남성은 마치 백화점 명품관에서 몇 개 되지 않는 명품가방을 하얀 장갑을 낀 채 vip 고객에게 설명하는 직원을 연상시켰다.

나는 예전 서울 잠실에 있는 백화점 문화센터 그림 수업 가는 길에, 사람들이 스마트폰을 보면서 일렬로 서 있는 긴 줄을 보게 되었고 무슨 줄인지도 모른 채 백화점 안으로 들어섰다가 명품가방 매장 안으로 들어가는 줄임을 알게 되었다.

지구촌 곳곳이 지구 온난화로 인한 폭염과 폭우로 많은 피해를 겪고 있기에, 밥상물가와 과일 값이 명품 가격을 연상케 하는 계기가 되었다. 나는 아침 밥상 상차림에 항상 야채 샐러드를 먹는다. 딱히 좋아하는 음식이 없는 나는 야채 샐러드에는 닭 가슴살과 사과만큼은 꼭 집어넣어서 먹기에 사과는 나에게 필수 비타민 역할을 해주는 식재료다.

나는 명품가방을 사기 위해 줄을 서 본 적은 없으나 사과만큼은 꼭 사야 하기에 몸값이 상승한 사과이긴 하나 줄을 서서 눈여겨보게 된다. 이만원에 다섯 개인 사과를 골라 담으면서 "사장님, 썩은 사과는 가격이 어떤가요?" 하고 물어보았다. "우리집 강아지가 사과를 좋아해서요. 사료를 먹고 나면 꼭 사과를 후식으로 먹거든요." 했더니 "아, 그래요?" 하면서 우리 강아지 등을 한 번 쓰다듬으며 썩은 사과를 손질해서 입에다 물려주니 두리가 꼬리를 흔들며 맛있게 먹는 게 보기 좋았다. 명품 사과이긴 하나 썩은 부분이 있는 사과들은 따로 분리해 놓고 흥정을 하면서 팔고 있었다. 두리는 자기 몫을 빨리 사 달라며 나의 다리를 긁어 댔다. 그러자 사과 한 조각을 또다시 받아먹게 된 두리를 위하여 일반 사과와 섞은 명품사과를 사게 되었다. 두리는 산책 중 이곳을 지날 때면 사과 박스 앞에서 딱 주저앉아 사과를 얻어먹기 전에는 일어서질 않아서 우리에겐 단골 가게가 되었다.

지구 온난화로 우리들에게 익숙한 음식들 10가지가 사라질 날이 멀지 않았다고 한다. 누구나 즐겨 마시는 기호식품인 커피가 지구 온난화 문제로 사라진다고 하니 친구들과 수다 떨며 즐겨 마시던 커피가 없어진다면 무슨 차를 마셔야 하나 벌써부터 고민 아닌 고민들을 하게 될 것이다.

우리 두리가 후식으로 꼭 먹어야 하는 사과는 기온이 상승하게 되면 개화시기가 빨라지면서 사과의 상품가치가 떨어지게 된다는 것을 알게 된 나는, 두리의 후식과 나의 비타민 섭취를 위해서 헌신하는 사과를 보호하기 위해 쓰레기 배출에 더욱더 신경 써야겠다는 생각을 하게 되었고, 손녀딸 우주에게도 지구 온난화에 대해 설명을 하게 되면서 쓰레기 분리 배출하는 방법을 알려주게 된다.

내 이름은 두리

2014년 4월, 세 살 때 날 아끼고 사랑해줬던 부산 삼촌집을 떠나 새로운 가족을 찾아 서울에 있는 삼촌의 이모님 댁으로 아무런 영문도 모른 채 입양을 가게 되었다. 낯설고 물 설은 서울에서 할매, 할배, 작은언니, 세 가족과의 첫 만남에서의 긴장도 잠시, 날 포근하게 안아주고 예뻐해 주는 작은언니 품에 안겨 집안을 둘러보게 되었다. 부산에서 사용했던 나의 소지품과 먹을거리들이 한곳에 가지런히 모아져 있는 게 마음이 놓였다. 나는 집안 곳곳을 다니며 냄새를 맡았고 새로운 가족들의 얼굴도 눈여겨보게 되었다. 큰언니는 내가 오기 전, 직장생활을 위해 대전에 살고 있다고 했다.

하루아침에 부산에서 서울로 오게 되었고, 오후에는 가족들과 함께 벚꽃이 만발한 잠실 석촌호수로 산책을 나가게 되었다. 나의 옷차림은 하얀 털옷에 등에는 검정색 하트무늬가 새겨져 있고, 양쪽 귀와 눈, 코는 검정색으로 아주 눈에 잘 띄는 4킬로그램에

예쁜 미모를 갖추고 태어난 나는 시츄이며 이름은 두리다.

주말에 벚꽃구경을 나온 많은 사람들이 벚꽃을 향해 사진을 찍고 있을 때 나는 벚꽃나무 아래서 다리를 들고 하늘을 보며 시원하게 볼일을 보게 되었다. 사진을 찍다가 나를 본 사람들은 "어머나, 이쁘다." 하면서 나의 허락도 없이 사진을 찍기도 했다. 석촌호수를 끼고 산책을 하는 내내 낯선 친구들과도 눈인사를 했다. 아울러 견주들끼리도 "너무 예뻐요. 하얀 시츄는 처음 봐요. 몇 살이예요?" 하면서 인사를 나누는 모습이 마냥 행복해 보였고, 산책 내내 나의 꼬리는 하늘을 향해 꿋꿋하게 흔들리고 있었다.

말로만 듣던 잠실 롯데 주변 석촌호수가 이렇게 아름다운 줄은 몰랐었다. 잠깐 가족들과 벤치에 앉아 쉬어 가는 동안 작은언니는 호주머니에서 간식을 꺼내 나의 입에다 물려줬다. 간식을 맛있게 받아먹으며 주변을 둘러보다가 끝없이 하늘을 향해 치솟아 있는 건물을 눈앞에서 보게 되었다. 나는 순간 언니를 쳐다봤다. 눈치 빠른 언니는 "응. 저 건물이 우리나라에서 가장 높은 123층 롯데타워야" 하면서 롯데타워를 배경으로 벚꽃나무 앞에서 할매, 할배, 언니랑 넷 이서 기념사진을 찍었다. 나는 꽉 찬 하루 일과를 마치고, 언니 품에 안겨 행복한 꿈나라로 들면서 서울 살이를 시작하게 되었다.

부산에서 삼촌네 가족들과 함께 지낼 때는 집안에서 볼일을 많이 봤었고, 주말에만 삼촌이 나를 데리고 야외 산책을 나갔었는데, 서울에서는 오전, 오후 두 차례 할배가 운동을 나가면서 나를 데리고 석촌호수로 산책을 나가게 되었다. 세 살인 나는 새로운 환경에 빨리 적응을 하게 되었고 산책을 나온 친구들과 눈인사도 하면서 서울살이가 익숙해져갔다.

석촌호수 산책을 하면서 친구의 삼촌을 부산에 살고 있는 삼촌으로 착각을 하면서 다가가 다리를 긁어대면 친구 삼촌은 나에게 간식을 주곤 했었다. 산책 중에 자주 만나게 되는 친구는 노견인데다 슬개골이 안 좋아 유모차를 자주 타고 다니곤 했었다. 하지만 친구는 나와 알고 지낸 지 1년 만에 무지개 다리를 건너갔다. 친구를 보낸 삼촌은 그 이후로도 다른 반려견과 길냥이들에게 간식을 주기 위해 석촌호수를 자주 나왔고 나의 할매와도 가깝게 지내게 되었다. 산책 중 삼촌과 마주치기만 하면 꼬리를 흔들며 애정 표현을 했었고, 그런 내 모습에 삼촌의 마음이 흔들렸던 것일까?

삼촌은 친구가 타고 다녔던 고가 미국산 유모차를 나에게 선물로 주었다. 친구 삼촌은 서울 코엑스 팻 박람회서 가장 비싼 미국산 유모차를 80만원에 샀다고 하면서 나를 유모차에 태우고 사진을 찍으며 무지개 다리를 건너간 친구를 생각하는 것 같았다. 유모차를 선물 받은 지 8년이 지났지만 나는 아직도 건강하게 산책을 잘하고 있기에 비싼 명품 유모차는 베란다 안쪽에서 제 역할을 못하고 주차되어 있다. 서울살이 2년이 되던 해에 작은언니는 2016년 2월에 결혼을 하게 되면서 제주에서 신혼살림을 차렸고, 큰 언니는 그해 가을 첫 아이인 우주를 출산하였다. 멀리 떨어져 살고 있는 두 언니들과는 영상통화를 자주하면서 언니들이 언제나 오려나 현관문을 자주 쳐다보곤 했었다. 우주가 태어나고 첫돌을 맞으면서 우주는 날 보기 위해 대전서 주말만 되면 서울 할매 집으로 자주 오게 되면서 우주와는 각별한 친구 사이가 되었고, 우주는 날 보러 올 때마다 새로운 간식을 사오곤 했었다.

언제 부턴가 나는 할매, 할배 두 분의 생활상을 눈여겨보게 되었다. 두 분은 딸 둘을 출가시키고 여유롭게 하루하루를 보내고 있었지만 취미와 성향이 완전 달라 무덤덤한 각자의 삶을 보내는 느낌을 받게 되었다. 할배는 집에 있는 날은 한결같이 소파에 드러누워 신문을 펼쳐 들고 끝까지 다 보고 나서야 일어나고, 할매는 라디오를 틀어 놓고 식탁 테이블에서 그림을 그리는 모습이 언제 부턴가 나에겐 익숙하게 다가왔다. 신문을 다 보고 난 할배는 그제서야 나를 바라보며 "두리, 두리!" 하고 불러댔다. 할매는 그런 할배의 모습이 불편한지 "자고 있는 애를 왜 불러대는데!" 한다. 간단한 대화 아닌 대화 마저도 내가 없었더라면 두 분은 말을 섞을 일이 없었겠다는 생각을 하게 된다.

세월이 흘러 어느새 할배랑 같은 나이인 74세가 되었다. 할매, 할배 덕분에 건강관리를 잘하고 지냈기에 아직 내 몸 불편한 데는 없으나, 얼마 전에 눈 검사를 하였더니 백내장 단계라고 했다. 수술을 할 수는 있으나 나이가 있기에 안약을 처방받아 현재는 할배가 안약을 잘 넣어 주시니 감사하다.

대전에 살고 있는 큰 언니 딸 우주가 어느새 자라나 초등학교에 들어갈 나이가 되었다. 직장생활을 하고 있는 우주 엄마는 우주가 초등학교를 가게 되면 돌봄 손길이 필요하기에 할매에게 돌봄을 부탁을 하게 되었고 할매, 할배는 정들었던 서울살이를 고민에 고민을 거듭한 끝에 대전 살이를 결심하게 되었으며, 우주가 학교 입학하기 전 대전으로 이사를 하게 되었다.

지금, 나를 가장 반기는 사람은 우주다. 우주는 학교, 학원을 갔다 집에 올 때는 현관문을 열기도 전에 "두리야!" 소리 높여 나를 부른다. 현관문을 열고 들어오는 우주의 얼굴을 보노라면 나도 모르게 온몸으로 우주를 반기게 된다. 우주는 나의 장난감들로 나랑 깔깔대며 놀아준다. 산책길에도, 그 어느 누구에게도 큰 소리로 짖어본 적 없는 나는 우주가 장난감을 흔들어댈 때는 신나게, 기분 좋게 노래를 부르며 짖어댄다.

순간 우주가 나를 포근하게 안아준다. '우주야, 내 나이가 벌써 74살이야. 내가 건강관리 잘해서 우주랑 잘 놀아줄 테니, 우주도 일찍 자고 일찍 일어나서 건강하고 보람있게 학교생활을 잘하길 바란다. 우주야, 항상 고맙고 사랑해!'

내 삶의 스토리텔링

2023년 9월 7일 충남대 백마교양관, 학기 첫 강의가 있는 날. 나는 기대 반 긴장 반 설렘을 안고 504호 강의실로 들어갔다. 각자 자기소개를 하는 시간 4,5,60대 연령층도 다양했지만 다들 나보다 젊은 분들이었다. 긴장도 잠시, 나의 차례가 다가와 종이신문 속에 껴서 들어온 충남대 평생교육원 수강생 모집 전단지를 펼쳐 보이며 '내 삶의 스토리텔링'을 보고 난 후 용기를 내어 강의에 참여하게 된 점을 소개하였다.

목 요일 저녁 7시, 나에게 특별한 수업이기에 현재까지 한 번도 결석을 해본 적이 없다. 강의 횟수가 늘어 갈수록 강사님의 지도 아래 수강생들의 글쓰기 실력과 다른 작가들의 글을 읽고 난 후 평가하는 능력이 향상되어감을 느끼게 되고, 강사님께 다시 한번 감사의 마음을 담아 강의에 열중하게 되는 계기가 되었다.

68세 지금까지 살아온 내 인생 내면에 쌓여 있는 삶을 드러내 놓고 얘기해 본 적이 없었기에 많이 망설였으나, 글쓰기를 먼저 한 수강생들의 글을 읽고 난 후 용기를 내어 내 삶의 글을 조심스럽게 표출하게 되었다. 내면에 잠재되어 있던 감정을 드러냄으로써 서로에게 정감이 가는 것 같아 마음 한 편이 한결 가벼워졌다.

젊은 수강생들과 같은 공간에서 강의를 들으니, 수강생 평균 연령인 50대로 돌아가 젊음의 기를 온몸으로 받는 느낌이 든다. 옷깃만 스쳐도 인연이란 말이 강의 횟수가 늘어갈수록 가슴에 많이 와닿는다. 정의와 열정이 넘쳐 경상도 사나이를 연상케 하는 50대 경상도 출신 여성 회원은 우리 회원들의 친목을 도모하는 연결고리 같은 역할을 하는 것 같다. 단톡 방에 댓글도 잘 달아 줌으로써 서로가 공유할 수 있게 도와주는 역할도 해주면서 다른 수강생들의 블로그 글도 읽으며 느낀 점을 공유하면서 또 다른 수강생들에게도 다시 한번 글을 읽게 하는 계기를 만들어 준다. 수확의 계절을 알리는 알밤을 주워 왔다면서 회원들 모두에게 산 밤을 한 봉지씩 건네며 수강생들의 마음도 즐겁게 해 주는 경상도 아지매. 경상도가 고향인 나에게는 정감이 가는 고향 후배 같다는 생각이 들기도 한다. 나 역시도 우리 수강생들에게 정을 나누고 싶다는 생각을 하게 된다.

2023년 11월 30일 오늘이 나에겐 뜻깊은 날이다. 손녀딸 우주의 돌봄을 위해 서울에서 대전으로 이사온지 딱 1년이 되는 날. 뜻깊은 날을 그냥 보낼 수 없기에 강의를 같이 듣는 회원들에게 나의 마음을 전하고 싶어 서울 동대문 시장에서 특별히 주문한 천가방에 펜 드로잉으로 각자 회원들의 성향에 맞는 그림을 그렸다.

손녀딸 우주가 천가방에 그림을 그리는 것을 보고는 말한다. "할머니 무슨 가방이예요? 참 예쁘다." "응. 이 천가방은 할머니가 다니는 충남대학교에서 같이 공부하는 할머니 친구들한테 선물할 거야." "와~ 좋겠다." 손녀딸과 이야기를 주고받으며 그림을 그린다. 20대 대학생으로 돌아가 과 친구들에게 크리스마스 선물을 앞당겨 주기 위해 퍼포먼스를 하는 나의 모습을 상상하면서, 그림을 그리는 내내 나의 마음은 마냥 행복한 여대생이 되었다.

내면에 잠재되어 있는 나의 삶을 드러내려면 앞으로도 시간이 많이 필요하다는 생각을 하기에, 꾸준히 강사님의 강의에 귀 기울이면서 마음 가볍게 글을 써 보리라 다짐해 본다.

사총사 모임

영이, 숙이, 미야, 선이, 문화센터 서양화반 수업시간에 알게 된 네 명의 멤버들이다. 바쁜 삶을 살아온 나는 하고 싶은 일들을 사전에 계획 세워서 실행한 적이 거의 없었다. 우연히 구민회관 앞을 지나다가 벽면 게시판에 '문화센터 수강생 모집' 프로그램을 보게 되었고, 서양화반 수업이 눈에 들어왔다. 나는 곧바로 요일과 시간을 확인한 후 수강 신청을 하게 되었고, 그 후로 매주 화요일 2시~4시 사이 두 시간 내내 즐겁게 웃고 떠들며 그림을 그리다 보면, 그 시간은 금방 지나가 짧게만 느껴졌다. 수업 횟수가 늘어날수록 나의 실력도 향상되어 갔고, 다른 수강생들은 내 그림을 보고 미술 전공자 같다, 잘 그린다는 말을 자주 하곤 했다. 화요일은 오직 내가 원하는 나만의 시간인 듯 행복했다.

나는 그 속에서 뜻이 맞고 마음이 통하는 수강생들과 모임을 만들었다. 50대 초중후반이었던 영이, 숙이, 미야, 선이. 한 살부터 많게는 열 살 차이가 나는 동생까지, 가장 가깝고도 친한 이들이 서로에게 즐거움과 희망을 주는 멤버인 사총사가 되었다.

문화센터 수강 횟수가 늘어갈수록 동시에 우리 사총사의 모임 횟수도 늘어만 갔다. 한 살 어린 동생은 전통음식협회 회원으로, 전통 맛집과 찻집을 소개해 주었고, 일곱 살 어린 동생은 털털한 성격에, 운전을 잘하기에 든든한 기사 역할을 하며, 각종 명소들을 같이 다니곤 했다. 열 살 어린 서울 토박이 동생은 처음에는 낯설게 다가왔지만 모임을 자주 가지면서 서서히 마음을 터놓게 되고, 그러다 어느새 언니들의 장단점을 콕콕 찍어 내기도 하는 친자매처럼 느껴졌다.

산악 회원이었던 나는 산행과 관광 관련 문자가 오면 바로 사총사들과 공유하고, 같이 등산과 관광을 자주 다니곤 했다. 문화센터에서 그림을 그린 지 2년이 되던 해 6월 초여름, 사총사들은 한라산을 올랐다. 1950m 정상을 오르는 내내 우리 일행은 서로에게 용기와 힘을 북돋아 주고, 의지하며, 끈끈한 우정을 나누었고, 한라산 백록담 정상에서 소리 높여 환호했다. 뜻깊은 산행을 무사히 마쳤고, 다음날 제주 일대를 관광하며 평생 잊지 못한 많은 추억을 쌓았다.

사총사 멤버들은 그림도 열심히 그렸다. 다른 수강생들한테는 부러움의 대상이었던 사총사! 한 해 동안 그렸던 그림들을 모아 단체전 전시회를 열고 단체모임도 하면서 서로의 작품에 대한 평가도 나누면서 다른 수강생들과의 우정도 돈독해졌다. 나만의 울타리 안에서 지내왔던 내가 사총사 멤버들로 인해 시야가 넓어지고, 행복함도 날로 충전되어 가면서, 삶이 윤택해지는 느낌을 받게 되었다. 그렇게 즐겁게 취미생활을 해가며 모임도 자주 하면서, 명소들도 자주 찾아다니곤 했는데, 60대 중후반, 손자 손녀들을 돌봐야 할 나이가 되면서 모임 횟수도 줄어들게 되었다.

사총사 멤버들의 모임을 주도했던 내가 손녀딸 돌봄을 위해 대전으로 이사 간다는 소식을 들은 어린 친구들은 많이 속상해하고 서운해했다. 이사 온 대전 집을 방문하면서, 고향에서 수확한 대봉감과 김장 양념 속까지 챙겨와 준 멤버들한테 다시 한번 감사하며, 손녀딸이 자라서 돌봄 손길이 필요 없는 그날이 오게 되면 다시 서울로 돌아가리라 약속한다. 오늘도 열심히 카톡으로 안부를 묻고, 각자의 하루를 전해 듣는다. 사총사의 우정이 영원하길. 오늘도 화이팅!

황규석

특별한 취미나 특기는 없지만 독서와 정발산 산책을 좋아하는 평범한 두 아이의 아빠입니다. 하루가 시작되는 조용한 아침 시간을 글로써 맞이하고 있습니다.

스텔라 수녀님

자연산 도라지

자전거 전등

늦가을 호숫가에서

무궁화호

스텔라 수녀님

지난주 합덕에 다녀왔다. 고즈넉한 합덕 성당, 사방으로 탁 트인 가을 들판, 주황빛 석양도 아름다웠지만 가장 인상 깊었던 것은 별이었다. 가로등을 두지 않아 유난히 깜깜한 밤하늘에는 고요하게 빛나는 별이 있었다.

군대 가기 전의 나는 꿈도 실력도 없는 별볼일 없는 미숙한 청춘이었다. 군 복무를 위한 휴학은 무력하고 나태했던 시절과 결별할 수 있는 기회였다. 그 다짐의 하나로 성당에 나갔고 레지오에도 가입했다. 그 모임에서 스텔라 누나를 만났다. 스텔라 누나를 비롯해 단원들은 너무나 착하고 심성이 고운 사람들이었다. 수요일마다 이문동 성당의 작은 방에 모여 소박한 꽃다발을 성모상 앞에 바치고 묵주 기도를 드렸다. 긴 기도와 묵상 끝에 단원들은 하느님의 뜻에 따라 사는 삶에 대해 진지하게 이야기했다. 하지만 나의 기도는 신앙에 대한 절실함이 아니라 내 삶에 대한

이기심이었다. 반년쯤 지나 나는 복학을 했고 스텔라 누나는 수도회에 입회하였다고 편지를 보내셨다.

이십 년 뒤 군산에서 일하게 되었다. 대학 졸업, 취업, 결혼, 박사학위, 시간강사 등 편치 않은 굴곡 끝에 우연찮게 공무원이 되어 군산에 발령을 받은 것이다. 안정된 직장과 지방 도시의 한가함으로 마음의 여유가 생기니 스텔라 누나가 생각났다. 누나가 보내 준 이십 년 전 편지를 찾아보았다. 색이 바랜 편지 봉투에는 손 글씨로 수녀님이 입회한 수도회 이름이 쓰여 있었다. 아직 그곳에 계실까? 조마조마하며 전화를 걸었다. "띠리링, 띠리링", 전화를 받은 수녀님은 스텔라 수녀님이 기도 중이셔서 메모를 남겨 두겠다 하였다. 다행히 오후 5시쯤 수녀님이 전화를 주셨고 게다가 수녀님은 가까운 전주에 계셨다. 반가운 마음에 한달음에 달려가 반가운 얼굴을 보았다. 수녀님은 이십 년 전 모습 그대로셨다. 눈빛은 부드러웠고 얼굴에서는 빛이 나는 듯했다. 한결같은 마음으로 기도하며 살아온 얼굴이다. 수녀님은 변함없이 하느님을 사랑하고 있었고 하느님의 사랑을 실천하고 싶어 사회복지를 공부하고 계셨다. 수녀님은 나의 결혼을 축하해 주셨고 나의 아이들을 축복해 주셨다. 그렇게 몇 번의 만남 후 수녀님은 장애인을 돌보는 소임을 맡아 광주로 떠나셨다.

국정감사 준비를 마치고 퇴근하니 새벽 한 시가 넘었다. 겨우 세수를 하고 거울에 비친 얼굴을 들여다본다. 늙고 지친 얼굴이다. 화장품이 나빠서 이런 얼굴은 아닐 것이다. 수녀님은 하느님을 섬기는 삶을 택하셨고 나는 나만의 삶을 살아왔기 때문일 것이다. 화장기 없는 누나의 맑고도 고운 모습이 그립다.

자연산 도라지

가을 어느 토요일 오후, 달님이와 아파트 단지에 있는 작은 놀이터에 갔다. 바로 옆에 큰 윗말 공원 놀이터가 있어 와서 노는 아이들이 적은 작은 놀이터이다. 그러다 보니 놀이터 마당은 잡초들 세상이다. 민들레도 있고 클로버도 있다. 달님이 노는 모습 지켜보다가 쪼그리고 앉아 잡초를 뽑아 본다. 이렇게 풀이 자라고 오는 아이들이 없으면 놀이터가 없어지지 않을까 괜한 걱정도 든다. 모래밭이라 풀은 뿌리까지 쑥쑥 잘도 뽑힌다.

오전에는 달님이와 남양주 부모님 농원에 다녀왔다. 딸은 밭 입구 소나무에서 할아버지가 매어 주신 그네를 탔고 나는 도라지를 몇 뿌리 캤다. 도라지를 캐기 위해서는 특수한 농기구가 필요하다. 쇠로 된 무겁고 커다란 삼지창 모양인데 땅에 깊게 박고 흙을 제낄 때 쓴다. 이 삼지창을 연둣빛 도라지 한 뼘쯤 되는 곳에 꽂고는 체중을 실어 끝까지 박아 넣은 후 뒤로 제껴야 도라지가 흙과 함께 캐지는 것이다.

우리 밭 도라지는 온전한 모양으로 뿌리 끝까지 제대로 캐지는 경우가 없다. 시장에서 파는 도라지 마냥 길쭉하게 쭉 뻗은 것이 아니고 마치 산삼처럼 이리저리 꼬여 있고 뿌리는 끊겨 있다. 아버지 말씀이 시장에 파는 도라지는 밭에 모래흙을 덮고 그 위에 심는다고 한다. 그러면 도라지는 막히는 곳이 없으니 곧게 뿌리를 내리는 것이다. 그런 밭에서는 캐는 것도 마찬가지로 쉽다. 모래흙이니 그냥 잡아 뽑아도 될 정도이다.

모래밭에 심은 도라지를 위해서는 농사꾼이 물도 주고 비료도 뿌리고 농약도 쳐서 잡초를 제거해 주어야 한다. 옆에서 사람이 돌봐 주고 키워 주어야 하는 것이다. 우리 밭 도라지는 야생초처럼 스스로 물기를 찾고 양분을 찾아 뿌리를 이리저리 내뻗는다. 뿌리 끝 성장점 앞에 돌멩이가 있으면 이리저리 방향을 틀어 나아간다. 멈춤도 없고 정해진 방향도 없다. 하지만 계속 나아간다. 마치 물처럼 막히면 돌아가고 깊은 곳을 만나면 채우고 나아간다.

모래밭 도라지처럼 깨끗하고 정돈된 환경을 부러워했다. 스스로 뿌리내리고 혼자서 수분과 양분을 찾으려 하지 않아도 되는 마트용 도라지가 되고 싶었나 보다. 하지만 씨앗은 산속 깊은 곳 여러 작물을 심고 농약을 삼가는 농원에 뿌려졌다. 그리고 이제는

어지간한 가뭄이나 비바람에 끄떡없는 47년생 자연산 도라지가 되었다.

모래밭에서 자란 뿌리는 쑥쑥 잘 뽑힌다. 억센 땅에서 자란 뿌리는 끊길지언정 잘 뽑히지 않는다. 고난 속에서 깊게 뿌리내린 것이다. 우리밭 도라지는 인기가 높다. 야생 도라지처럼 거칠지만 아름다운 자연에서 온 힘을 다해 뻗은 뿌리이기 때문이다. 역경은 지나고 보면 선물이다.

자전거 전등

어렸을 적 마을에는 반곡국민학교가 있었다. 국민학교를 졸업한 형들은 면소재지에 있는 연산중학교에 다녔다. 이십리 길 되는 중학교를 형들은 교복을 입고 자전거를 타고 다녔다. 마을 또래 친구들은 자전거가 없었다. 중학생이 되어야 통학용 자전거를 사줬다. 형들이 타고 다니는 자전거가 마냥 부러웠다. 늦가을 해 질 무렵 마을 회관 앞에서 놀고 있으면 신작로에서 작은 불빛들이 반딧불처럼 점점이 나타났다.

그때 가장 신기했던 물건 중의 하나가 자전거 전등에 전기를 보내주는 작은 발전기였다. 크기와 모양이 가스활명수 병처럼 생겼는데 뚜껑 부분이 앞바퀴에 닿으면 회전하면서 전기를 만들어 내는 구조였다. 어려서는 그게 그렇게 신기해서 자전거를 눕혀놓고 바퀴를 돌려가며 불이 들어오는지 살펴보곤 했다.

요즘 자전거에는 아예 전등이 없다. 도심 거리가 밝아 퇴화되어 버린 것이다. 이제는 전등 대신 충돌을 막기 위한 깜빡이 전구를 앞뒤에 단다. 길을 밝히기 위함이 아니라 서로를 식별하기 위한 용도일 뿐이다.

얼마 전 자전거를 타고 퇴근을 하였다. 공용자전거를 빌렸는데 신기하게 발전기가 달려있어 페달을 밟을 때마다 빛이 났다. 그렇지만 그 밝기가 너무 약해 이건 그냥 장식품이구나 싶었다. 차도를 벗어나 금강 자전거길에 오르자 상황이 바뀌었다. 그 희미했던 불빛이 앞길을 비춰주고 있었다. 대로에서는 희미하기 그지없던 전등이 가로등 없는 깜깜한 그믐날 밤길을 환하게 밝혀주고 있었다.

전등은 밤이 어두울수록 빛이 난다. 이미 가로등이 환한 도심에서는 오촉짜리 작은 불빛은 보이지도 않는다. 하지만 어두운 강변길에서는 호롱불같은 작은 불빛도 큰 밝음이다. 이 세상에는 가로등처럼 빛나는 사람들이 너무나 많다. 평범한 사람은 그 빛에 가려 보이지 않는다. 그럼에도, 비록 평범한 사람이라도 꼭 필요한 자리에 있다면 빛을 발할 것이다. 반딧불 같은 작은 나의 불빛은 어디를 비출 수 있을까?

늦가을 호숫가에서

누군가 일부러 그린 것은 아닐 것이다. 사람이 그렇게 할 수는 없다. 호수공원 가을 말이다. 사람들은 별생각 없이 여기저기에 느티나무, 구상나무, 밤나무, 버드나무, 벚나무 등을 심었을 것이다. 그 나무들이 가을이 되니 다양한 농도의 황갈색으로 변하고 또한 절묘하게 배치되어 그 아름다움은 뭐라 말할 수 없다. 멀리 호수 건너편에서 바라보는 가을 숲은 코발트블루와 터키블루 사이에서 한 점의 점묘화처럼 풍요롭다.

얼마나 좋은 계절인가? 가을을 사랑하지 않는 사람이 과연 있을까? 나도 모르게 폐속 깊이 공기를 들이마시게 하는 이 기운은 무엇일까? 에어컨으로는 절대 만들 수 없는 이 계절의 순수한 청량감은 어디서 오는 것일까?

국민학교 운동장에는 아름드리 플라타너스 나무가 삼면을

둘러싸고 있었다. 한여름 시원한 그늘을 드리워주는 플라타너스의 효용을 부정할 수는 없을 것이나 실용으로서가 아니라 미학적으로 본다면 가을이야 말로 플라타너스의 또 다른 절정이다. 늦가을 홍시 같은 저녁 노을을 배경으로 우뚝우뚝 서 있는 가을 플라타너스의 쓸쓸함도 큰 정취이지만 아이들에게는 오직 놀이로써 의미가 있다. 가을 바람이 불면 얼굴만한 낙엽이 바람에 휘날려 떨어져 내렸다. 점심시간이면 아이들은 모두 운동장에 나가 종잡을 수 없이 흩날리는 낙엽을 잡으려 이리 뛰고 저리 뛰고 그러다가 부딪히고 깔깔대며 웃었다. 빨갛게 상기된 뺨으로 가쁜 숨을 내쉬면서도 그 누구도 멈추지 않았다. '땡땡땡' 수업을 알리는 종이 치고도 한두 놈은 꼭 운동장에 남아 선생님의 미소 띤 꾸중을 들어야 했다. 그때 그 아이들의 눈동자는 쪽빛 하늘보다 깊었고 그때 들이마신 가을은 아직도 폐포에 남아 있다.

가을의 절정을 지난 늦가을 주말 아침 호수공원을 걷고 있다. 낙엽이 져서 풍만했던 단풍 숲은 빈곤하고 쓸쓸하나 나는 이 시간을 사랑하고 이 분위기가 기껍다. 사람들이 몰려드는 계절 번잡한 낮시간을 피해 늦가을 이른 아침에 가을 속을 걸으면 마음속에 은밀한 기쁨이 솟는다.

보통 중년을 인생의 가을이라 하지만 이제 가을도 지나고 겨울이 오고 있다. 계절은 겨울 지나 다시 봄이 오지만 인생은 그렇지 못하다. 한 번뿐인 가을이고 한 번뿐인 겨울이다. 이 늦가을 아침, 어떤 겨울을 맞이할 것인가 고심해 보지만 모르겠다. 한 번도 가보지 않은 길이라 알 수 없다. 늦가을 아침, 떨어지는 낙엽에 손을 뻗어본다.

무궁화호

제천에 가야 한다. 오송 역에서 무궁화호 차표를 끊었다. 플랫폼에 서 있으니 세 칸짜리 꼬마기차 토마스 같은 열차가 들어온다. 봄 가뭄 논바닥처럼 칠은 갈라졌고 그사이 붉게 슬은 녹이 보이지만 주황색 무궁화호를 보는 순간 미소가 지어진다.

객차에 들어서니 더욱 정겹다. KTX에 비해 폭이 훨씬 넓다. 시골 인심처럼 좌석 간격도 넉넉하고 통로도 두 명이 여유롭게 지나갈 만큼 널찍하다. 천정도 더 높아 아파트에 살다가 대청마루 탁 트인 한옥에 온 것 같다. 가장 마음을 편하게 하는 것은 소리이다. KTX의 '철컹철컹' 숨 넘어가는 소리가 아닌 '덜커덩 덜커덩' 느리게 울리는 무궁화호의 여유있는 숨소리가 듣기 좋다.

넓은 창으로 겨울 햇살이 눈부시다. 밝은 햇살과 히터에서 나오는 따듯한 온기에 완전히 무장해제가 되었다. 읽으려던 책도 꺼내 놓은 노트북도 모두 그물망에 넣어두고 의자를 살짝 젖히고 눈을 감는다. 어떤 경계심도 서두름도 긴장감도 없다. 그저 눈을 감고 '덜커덩 덜커덩' 자장가처럼 감미로운 기차소리를 들으며 반쯤 감은 눈으로 창밖 겨울 풍경을 바라본다.

내 유년의 기억은 기차와 할머니와 함께 한다. 젊은 할머니와 어린 아버지는 대둔산 산골 마을에 살았다. 고사리니 취나물이니 산나물이 흔한 곳이었다. 할머니는 무학이셨지만 총명하고 배짱있는 분이셨다. 산골에 머물지 않고 집집의 산나물을 모아 서울에 팔고 평화시장에서 옷이나 그릇 같은 생필품을 사서 다시 산골짜기 집집에 팔아주었다. 방학을 하면 그렇게 장사하는 할머니를 따라 기차를 타고 서울 고모집에 가곤 했다. 어디로 가는지 여기가 어딘 지도 모른 채 할머니 치맛자락만 꼭 붙잡고 다녔다. 그때 완행열차는 설레임과 두려움이 교차하는 호그와트로 가는 마법열차 같았다.

무궁화호는 품이 넓어 사람을 품고 이야기를 싣는다. 옆에 앉은 모르는 이에게 어디 가냐고 무슨 일로 가냐고 애들은 시집 장가 보냈는지 이물 없이 묻고 대답한다. KTX에서 대화는 금지사항이다. KTX는 야박하고 정이 없다. 그때 나는 팔딱이는 청개구리였고 지금은 신기한 것도 무서운 것도 없는 늙은 두꺼비 같다.

무궁화호처럼 넉넉한 마음이어야 하는데 자꾸만 KTX를 닮아간다. 조급하고 신경질적이고 여유도 없다.

무궁화호를 닮고 싶다. 넓은 창으로 두터운 콘크리트 옹벽이 아닌 낮은 담벼락이 보이고, 순식간에 지나쳐 선으로 보이는 풍경 대신 가을에는 단풍을 겨울에는 설경을 볼 수 있는 무궁화 열차이고 싶다. 충북선 철길 따라 논과 밭 시골집이 옹기종기 모여 있다.